Premium VOCA

영어중심

http://cafe.naver.com/centerenglish 에서 단어시험 출제
프로그램을 무료로 다운로드 받으실 수 있습니다.

혼동 어휘

001	attract [어트랙트]	유혹하다
002	abstract [앱스트랙트]	추상적인
003	contract [칸트랙트]	계약하다
004	extract [엑스트랙트]	추출하다
005	subtract [서브트랙트]	빼다
006	distract [디스트랙트]	산만하게 하다
007	retract [리트랙트]	취소하다

008	belief [빌리프]	믿음
009	brief [브리프]	간단한
010	relief [릴리프]	안도
011	chief [취프]	장
012	chef [쉐프]	주방장
013	conceive [컨씨브]	생각하다
014	deceive [디씨브]	속이다

015	receive [리씨브]	받다
016	perceive [퍼씨브]	인지하다
017	depend [디펜드]	의존하다
018	defend [디펜드]	방어하다
019	offend [어펜드]	화나게 하다
020	append [어펜드]	달아매다
021	impend [임펜드]	임박하다

022	ethic [에띡]	윤리
023	ethnic [에뜨닉]	민족의
024	folk [포크]	사람들
025	fork [포크]	포크
026	integrity [인티그러티]	성실
027	integration [인티그레이션]	통합
028	oblige [어블라이쥐]	강요하다

029	**obligate** [아블러게이트]	의무를 지우다
030	**stair** [스테어]	계단
031	**stare** [스테어]	응시하다
032	**scare** [스케어]	겁주다
033	**yearn** [연]	갈망하다
034	**yawn** [욘]	하품하다
035	**yarn** [얀]	실

Review Test

☑ 다음 영단어의 뜻을 우리말로 쓰시오.

01 obligate		19 ethnic	
02 ethic		20 yawn	
03 fork		21 scare	
04 deceive		22 stair	
05 receive		23 extract	
06 yearn		24 abstract	
07 retract		25 contract	
08 distract		26 belief	
09 yarn		27 defend	
10 stare		28 impend	
11 chef		29 depend	
12 folk		30 perceive	
13 brief		31 subtract	
14 chief		32 integrity	
15 conceive		33 attract	
16 offend		34 append	
17 integration		35 oblige	
18 relief			

정답
01 의무를 지우다	10 응시하다	19 민족의	28 임박하다
02 윤리	11 주방장	20 하품하다	29 의존하다
03 포크	12 사람들	21 겁주다	30 인지하다
04 속이다	13 간단한	22 계단	31 빼다
05 받다	14 장	23 추출하다	32 성실
06 갈망하다	15 생각하다	24 추상적인	33 유혹하다
07 취소하다	16 화나게 하다	25 계약하다	34 달아매다
08 산만하게 하다	17 통합	26 믿음	35 강요하다
09 실	18 안도	27 방어하다	

Review Test

☑️ 다음 영단어의 뜻을 우리말로 쓰시오.

01 subtract		19 obligate	
02 oblige		20 distract	
03 extract		21 yarn	
04 fork		22 retract	
05 brief		23 depend	
06 relief		24 folk	
07 yawn		25 perceive	
08 defend		26 attract	
09 chief		27 integration	
10 offend		28 contract	
11 ethnic		29 receive	
12 impend		30 belief	
13 abstract		31 deceive	
14 integrity		32 scare	
15 chef		33 stare	
16 conceive		34 append	
17 ethic		35 stair	
18 yearn			

정답

01 빼다	10 화나게 하다	19 의무를 지우다	28 계약하다
02 강요하다	11 민족의	20 산만하게 하다	29 받다
03 추출하다	12 임박하다	21 실	30 믿음
04 포크	13 추상적인	22 취소하다	31 속이다
05 간단한	14 성실	23 의존하다	32 겁주다
06 안도	15 주방장	24 사람들	33 응시하다
07 하품하다	16 생각하다	25 인지하다	34 달아매다
08 방어하다	17 윤리	26 유혹하다	35 계단
09 장	18 갈망하다	27 통합	

Review Test

☑ 다음 영단어의 뜻을 우리말로 쓰시오.

01 ethnic	_____	19 stare	_____
02 obligate	_____	20 chef	_____
03 yawn	_____	21 scare	_____
04 subtract	_____	22 abstract	_____
05 fork	_____	23 yarn	_____
06 ethic	_____	24 extract	_____
07 stair	_____	25 brief	_____
08 distract	_____	26 defend	_____
09 integrity	_____	27 contract	_____
10 relief	_____	28 chief	_____
11 belief	_____	29 yearn	_____
12 folk	_____	30 impend	_____
13 conceive	_____	31 integration	_____
14 depend	_____	32 perceive	_____
15 receive	_____	33 attract	_____
16 append	_____	34 deceive	_____
17 oblige	_____	35 retract	_____
18 offend	_____		

정답

01 민족의	10 안도	19 응시하다	28 장
02 의무를 지우다	11 믿음	20 주방장	29 갈망하다
03 하품하다	12 사람들	21 겁주다	30 임박하다
04 빼다	13 생각하다	22 추상적인	31 통합
05 포크	14 의존하다	23 실	32 인지하다
06 윤리	15 받다	24 추출하다	33 유혹하다
07 계단	16 달아매다	25 간단한	34 속이다
08 산만하게 하다	17 강요하다	26 방어하다	35 취소하다
09 성실	18 화나게 하다	27 계약하다	

DAY 2

036	accept [억쎕트]	받아들이다
037	except [익쎕트]	~을 제외하고
038	excerpt [엑썹트]	발췌
039	concept [칸쎕트]	개념
040	receipt [리씨트]	영수증
041	exception [익쎕션]	예외
042	conception [컨쎕션]	개념

043	perception [퍼쎕션]	인지
044	reception [리쎕션]	환영회
045	breath [브레뜨]	호흡
046	breathe [브리드]	호흡하다
047	breadth [브레드뜨]	폭
048	curb [커브]	억제하다
049	curve [커브]	굽어지다

050	carve [카브]	새기다
051	eliminate [일리미네이트]	제거하다
052	illuminate [일루미네이트]	비추다
053	flow [플로우]	흐르다
054	flaw [플로]	결점
055	laser [레이저]	레이저(광선)
056	razor [레이저]	면도날

057	pedestrian [퍼데스트리언]	보행자
058	pediatrician [피디어트리션]	소아과 의사
059	resource [리쏘스]	자원
060	source [쏘스]	원천
061	sauce [쏘스]	소스
062	spontaneously [스판테이니어슬리]	자발적으로
063	simultaneously [사이멀테이니어슬리]	동시에

064	temper [템퍼]	기질
065	temperate [템퍼럿]	온화한
066	temperature [템퍼러쳐]	온도
067	violence [바이얼런스]	폭력
068	violation [바이얼레이션]	위반
069	wonder [원더]	궁금하게 여기다
070	wander [완더]	돌아다니다

Review Test

☑ 다음 영단어의 뜻을 우리말로 쓰시오.

01 temper		19 pediatrician	
02 pedestrian		20 wonder	
03 source		21 violence	
04 curve		22 temperate	
05 carve		23 concept	
06 violation		24 except	
07 conception		25 excerpt	
08 exception		26 perception	
09 wander		27 flow	
10 temperature		28 razor	
11 breadth		29 illuminate	
12 resource		30 eliminate	
13 reception		31 receipt	
14 breathe		32 sauce	
15 curb		33 accept	
16 flaw		34 laser	
17 spontaneously		35 simultaneously	
18 breath			

정답

01 기질	10 온도	19 소아과 의사	28 면도날
02 보행자	11 폭	20 궁금하게 여기다	29 비추다
03 원천	12 자원	21 폭력	30 제거하다
04 굽어지다	13 환영회	22 온화한	31 영수증
05 새기다	14 호흡하다	23 개념	32 소스
06 위반	15 억제하다	24 ~을 제외하고	33 받아들이다
07 개념	16 결점	25 발췌	34 레이저(광선)
08 예외	17 자발적으로	26 인지	35 동시에
09 돌아다니다	18 호흡	27 흐르다	

15

Review Test

☑ 다음 영단어의 뜻을 우리말로 쓰시오.

01 receipt		19 temper	
02 simultaneously		20 exception	
03 concept		21 wander	
04 source		22 conception	
05 reception		23 illuminate	
06 breath		24 resource	
07 wonder		25 eliminate	
08 flow		26 accept	
09 breathe		27 spontaneously	
10 flaw		28 excerpt	
11 pediatrician		29 carve	
12 razor		30 perception	
13 except		31 curve	
14 sauce		32 violence	
15 breadth		33 temperature	
16 curb		34 laser	
17 pedestrian		35 temperate	
18 violation			

정답
01 영수증
02 동시에
03 개념
04 원천
05 환영회
06 호흡
07 궁금하게 여기다
08 흐르다
09 호흡하다
10 결점
11 소아과 의사
12 면도날
13 ~을 제외하고
14 소스
15 폭
16 억제하다
17 보행자
18 위반
19 기질
20 예외
21 돌아다니다
22 개념
23 비추다
24 자원
25 제거하다
26 받아들이다
27 자발적으로
28 발췌
29 새기다
30 인지
31 굽어지다
32 폭력
33 온도
34 레이저(광선)
35 온화한

Review Test

☑ 다음 영단어의 뜻을 우리말로 쓰시오.

01 pediatrician	19 temperature
02 temper	20 breadth
03 wonder	21 violence
04 receipt	22 except
05 source	23 wander
06 pedestrian	24 concept
07 temperate	25 reception
08 exception	26 flow
09 sauce	27 excerpt
10 breath	28 breathe
11 perception	29 violation
12 resource	30 razor
13 curb	31 spontaneously
14 illuminate	32 eliminate
15 carve	33 accept
16 laser	34 curve
17 simultaneously	35 conception
18 flaw	

정답

01 소아과 의사	10 호흡	19 온도	28 호흡하다
02 기질	11 인지	20 폭	29 위반
03 궁금하게 여기다	12 자원	21 폭력	30 면도날
04 영수증	13 억제하다	22 ~을 제외하고	31 자발적으로
05 원천	14 비추다	23 돌아다니다	32 제거하다
06 보행자	15 새기다	24 개념	33 받아들이다
07 온화한	16 레이저(광선)	25 환영회	34 굽어지다
08 예외	17 동시에	26 흐르다	35 개념
09 소스	18 결점	27 발췌	

071	access [액쎄스]	접근
072	assess [어쎄스]	평가하다
073	excess [익쎄스]	초과
074	exceed [익씨드]	초과하다
075	recess [리쎄스]	휴식
076	process [프라쎄스]	과정
077	progress [프러그레스]	진행

078	congress [캉그러스]	국회
079	regress [리그레스]	퇴보하다
080	blush [블러쉬]	얼굴을 붉히다
081	brush [브러쉬]	붓
082	flush [플러쉬]	붉어지다
083	causal [코절]	원인의
084	casual [캐쥬얼]	우연의

085	casualty [캐쥬얼티]	사상자
086	deprive [디프라이브]	빼앗다
087	derive [디라이브]	도출하다
088	eternal [이터널]	영원한
089	external [익스터널]	외부의
090	internal [인터널]	내부의
091	formal [포멀]	공식적인

092	former [포머]	이전의
093	form [폼]	모양
094	formation [포메이션]	형성
095	geology [지알러지]	지질학
096	geography [지아그러피]	지리학
097	geometry [지아머트리]	기하학
098	hostility [하스틸러티]	적개심

099	hospitality [하스피탤러티]	환대
100	insult [인썰트]	모욕하다
101	insert [인써트]	삽입하다
102	instruct [인스트럭트]	가르치다
103	loose [루스]	느슨한
104	lose [루즈]	잃다
105	loss [로스]	손실

Review Test

☑️ 다음 영단어의 뜻을 우리말로 쓰시오.

01 excess	_____	19 regress	_____
02 process	_____	20 progress	_____
03 casualty	_____	21 access	_____
04 congress	_____	22 blush	_____
05 recess	_____	23 geometry	_____
06 formation	_____	24 former	_____
07 hospitality	_____	25 assess	_____
08 geology	_____	26 external	_____
09 loss	_____	27 causal	_____
10 flush	_____	28 casual	_____
11 deprive	_____	29 geography	_____
12 insert	_____	30 lose	_____
13 exceed	_____	31 derive	_____
14 form	_____	32 brush	_____
15 eternal	_____	33 instruct	_____
16 loose	_____	34 hostility	_____
17 insult	_____	35 formal	_____
18 internal	_____		

정답
01 초과	10 붉어지다	19 퇴보하다	28 우연의
02 과정	11 빼앗다	20 진행	29 지리학
03 사상자	12 삽입하다	21 접근	30 잃다
04 국회	13 초과하다	22 얼굴을 붉히다	31 도출하다
05 휴식	14 모양	23 기하학	32 붓
06 형성	15 영원한	24 이전의	33 가르치다
07 환대	16 느슨한	25 평가하다	34 적개심
08 지질학	17 모욕하다	26 외부의	35 공식적인
09 손실	18 내부의	27 원인의	

Review Test

☑️ 다음 영단어의 뜻을 우리말로 쓰시오.

01 instruct		19 regress	
02 causal		20 geography	
03 brush		21 process	
04 formal		22 progress	
05 casual		23 external	
06 derive		24 formation	
07 congress		25 excess	
08 form		26 internal	
09 casualty		27 blush	
10 hostility		28 deprive	
11 loose		29 insert	
12 former		30 geology	
13 hospitality		31 loss	
14 eternal		32 exceed	
15 access		33 lose	
16 geometry		34 assess	
17 recess		35 insult	
18 flush			

정답
01 가르치다	10 적개심	19 퇴보하다	28 빼앗다
02 원인의	11 느슨한	20 지리학	29 삽입하다
03 붓	12 이전의	21 과정	30 지질학
04 공식적인	13 환대	22 진행	31 손실
05 우연의	14 영원한	23 외부의	32 초과하다
06 도출하다	15 접근	24 형성	33 잃다
07 국회	16 기하학	25 초과	34 평가하다
08 모양	17 휴식	26 내부의	35 모욕하다
09 사상자	18 붉어지다	27 얼굴을 붉히다	

Review Test

☑️ 다음 영단어의 뜻을 우리말로 쓰시오.

01 internal	19 insert
02 eternal	20 deprive
03 hospitality	21 loose
04 blush	22 flush
05 access	23 casualty
06 geology	24 casual
07 lose	25 hostility
08 process	26 geometry
09 former	27 assess
10 congress	28 formal
11 derive	29 progress
12 excess	30 loss
13 geography	31 form
14 instruct	32 external
15 exceed	33 recess
16 formation	34 insult
17 brush	35 causal
18 regress	

정답

01 내부의	10 국회	19 삽입하다	28 공식적인
02 영원한	11 도출하다	20 빼앗다	29 진행
03 환대	12 초과	21 느슨한	30 손실
04 얼굴을 붉히다	13 지리학	22 붉어지다	31 모양
05 접근	14 가르치다	23 사상자	32 외부의
06 지질학	15 초과하다	24 우연의	33 휴식
07 잃다	16 형성	25 적개심	34 모욕하다
08 과정	17 붓	26 기하학	35 원인의
09 이전의	18 퇴보하다	27 평가하다	

DAY 4

106	altitude [앨티튜드]	고도
107	attitude [애티튜드]	태도
108	aptitude [앱티튜드]	적성
109	latitude [래티튜드]	위도
110	longitude [란저튜드]	경도
111	solitude [쌀러튜드]	고독
112	multitude [멀티튜드]	다수

113	gratitude [그래티튜드]	감사
114	beneficial [베니피셜]	유익한
115	beneficent [비네피슨트]	선을 베푸는
116	beneficiary [베니피셔리]	수혜자
117	benevolent [버네벌런트]	자애로운
118	complement [캄플리먼트]	보충하다
119	compliment [캄플리먼트]	칭찬하다

120	supplement [써플리먼트]	보충하다
121	implement [임플리먼트]	실행하다
122	definitive [디피너티브]	결정적인
123	definition [데피니션]	정의
124	definite [데퍼닛]	한정된
125	infinite [인퍼닛]	무한한
126	eject [이젝트]	추방하다

134	flavor [플레이버]	맛
135	favor [페이버]	부탁
136	favorite [페이버릿]	가장 좋아하는
137	favorable [페이버러블]	호의적인
138	involve [인발브]	포함하다
139	revolve [리발브]	회전하다
140	evolve [이발브]	진화하다

Review Test

☑ 다음 영단어의 뜻을 우리말로 쓰시오.

01 flavor _____   19 inject _____

02 reject _____   20 revolve _____

03 subjective _____   21 favorable _____

04 compliment _____   22 favor _____

05 supplement _____   23 latitude _____

06 involve _____   24 attitude _____

07 multitude _____   25 aptitude _____

08 solitude _____   26 gratitude _____

09 evolve _____   27 definition _____

10 favorite _____   28 eject _____

11 benevolent _____   29 definitive _____

12 subject _____   30 implement _____

13 beneficial _____   31 longitude _____

14 beneficiary _____ 32 object _____

15 complement _____   33 altitude _____

16 definite _____   34 infinite _____

17 objection _____   35 objective _____

18 beneficent _____

정답
01 맛   10 가장 좋아하는   19 주입하다   28 추방하다
02 거절하다   11 자애로운   20 회전하다   29 결정적인
03 주관적인   12 주제   21 호의적인   30 실행하다
04 칭찬하다   13 유익한   22 부탁   31 경도
05 보충하다   14 수혜자   23 위도   32 물체
06 포함하다   15 보충하다   24 태도   33 고도
07 다수   16 한정된   25 적성   34 무한한
08 고독   17 반대   26 감사   35 객관적인
09 진화하다   18 선을 베푸는   27 정의

Review Test

☑ 다음 영단어의 뜻을 우리말로 쓰시오.

01 longitude		19 flavor	
02 objective		20 solitude	
03 latitude		21 evolve	
04 subjective		22 multitude	
05 beneficial		23 definitive	
06 beneficent		24 subject	
07 revolve		25 implement	
08 definition		26 altitude	
09 beneficiary		27 objection	
10 definite		28 aptitude	
11 inject		29 supplement	
12 eject		30 gratitude	
13 attitude		31 compliment	
14 object		32 favorable	
15 benevolent		33 favorite	
16 complement		34 infinite	
17 reject		35 favor	
18 involve			

정답

01 경도	10 한정된	19 맛	28 적성
02 객관적인	11 주입하다	20 고독	29 보충하다
03 위도	12 추방하다	21 진화하다	30 감사
04 주관적인	13 태도	22 다수	31 칭찬하다
05 유익한	14 물체	23 결정적인	32 호의적인
06 선을 베푸는	15 자애로운	24 주제	33 가장 좋아하는
07 회전하다	16 보충하다	25 실행하다	34 무한한
08 정의	17 거절하다	26 고도	35 부탁
09 수혜자	18 포함하다	27 반대	

Review Test

☑ 다음 영단어의 뜻을 우리말로 쓰시오.

01 inject	_____	19 favorite	_____
02 flavor	_____	20 benevolent	_____
03 revolve	_____	21 favorable	_____
04 longitude	_____	22 attitude	_____
05 subjective	_____	23 evolve	_____
06 reject	_____	24 latitude	_____
07 favor	_____	25 beneficial	_____
08 solitude	_____	26 definition	_____
09 object	_____	27 aptitude	_____
10 beneficent	_____	28 beneficiary	_____
11 gratitude	_____	29 involve	_____
12 subject	_____	30 eject	_____
13 complement	_____	31 objection	_____
14 definitive	_____	32 implement	_____
15 supplement	_____	33 altitude	_____
16 infinite	_____	34 compliment	_____
17 objective	_____	35 multitude	_____
18 definite	_____		

정답

01 주입하다	10 선을 베푸는	19 가장 좋아하는	28 수혜자
02 맛	11 감사	20 자애로운	29 포함하다
03 회전하다	12 주제	21 호의적인	30 추방하다
04 경도	13 보충하다	22 태도	31 반대
05 주관적인	14 결정적인	23 진화하다	32 실행하다
06 거절하다	15 보충하다	24 위도	33 고도
07 부탁	16 무한한	25 유익한	34 칭찬하다
08 고독	17 객관적인	26 정의	35 다수
09 물체	18 한정된	27 적성	

DAY 5

141	**attain** [어테인]	달성하다
142	**contain** [컨테인]	포함하다
143	**detain** [디테인]	억류하다
144	**retain** [리테인]	보유하다
145	**sustain** [써스테인]	지속시키다
146	**maintain** [메인테인]	유지하다
147	**entertain** [엔터테인]	즐겁게 하다

148	obtain [업테인]	얻다
149	pertain [퍼테인]	속하다
150	bureaucracy [뷰라크러씨]	관료주의
151	democracy [디마크러씨]	민주주의
152	collect [컬렉트]	모으다
153	correct [커렉트]	고치다
154	recollect [리컬렉트]	회상하다

155	delete [딜리트]	삭제하다
156	detect [디텍트]	발견하다
157	dedicate [데디케이트]	헌신하다
158	dictate [딕테이트]	지시하다
159	indicate [인디케이트]	가리키다
160	economy [이카너미]	경제
161	economics [이커나믹스]	경제학

162	economic [이커나믹]	경제의
163	economical [이커나미컬]	절약하는
164	farewell [페어웰]	작별
165	welfare [웰페어]	복지
166	fare [페어]	요금
167	fair [페어]	공평한
168	intimate [인티멋]	친한

169	**imitate** [이미테이트]	모방하다
170	**initiate** [이니쉬에이트]	시작하다
171	**initial** [이니셜]	처음의
172	**latter** [래터]	후자의
173	**later** [레이터]	나중의
174	**liter** [리터]	1리터
175	**litter** [리터]	쓰레기

Review Test

☑️ 다음 영단어의 뜻을 우리말로 쓰시오.

01 imitate		19 economical	
02 economic		20 liter	
03 welfare		21 latter	
04 recollect		22 initiate	
05 delete		23 retain	
06 later		24 contain	
07 entertain		25 detain	
08 maintain		26 obtain	
09 litter		27 dictate	
10 initial		28 economics	
11 collect		29 dedicate	
12 farewell		30 detect	
13 pertain		31 sustain	
14 democracy		32 fare	
15 correct		33 attain	
16 indicate		34 economy	
17 fair		35 intimate	
18 bureaucracy			

정답

01 모방하다	10 처음의	19 절약하는	28 경제학
02 경제의	11 모으다	20 1리터	29 헌신하다
03 복지	12 작별	21 후자의	30 발견하다
04 회상하다	13 속하다	22 시작하다	31 지속시키다
05 삭제하다	14 민주주의	23 보유하다	32 요금
06 나중의	15 고치다	24 포함하다	33 달성하다
07 즐겁게 하다	16 가리키다	25 억류하다	34 경제
08 유지하다	17 공평한	26 얻다	35 친한
09 쓰레기	18 관료주의	27 지시하다	

Review Test

☑ 다음 영단어의 뜻을 우리말로 쓰시오.

01 sustain		19 imitate	
02 intimate		20 maintain	
03 retain		21 litter	
04 welfare		22 entertain	
05 pertain		23 dedicate	
06 bureaucracy		24 farewell	
07 liter		25 detect	
08 dictate		26 attain	
09 democracy		27 fair	
10 indicate		28 detain	
11 economical		29 delete	
12 economics		30 obtain	
13 contain		31 recollect	
14 fare		32 latter	
15 collect		33 initial	
16 correct		34 economy	
17 economic		35 initiate	
18 later			

정답
01 지속시키다	10 가리키다	19 모방하다	28 억류하다
02 친한	11 절약하는	20 유지하다	29 삭제하다
03 보유하다	12 경제학	21 쓰레기	30 얻다
04 복지	13 포함하다	22 즐겁게 하다	31 회상하다
05 속하다	14 요금	23 헌신하다	32 후자의
06 관료주의	15 모으다	24 작별	33 처음의
07 1리터	16 고치다	25 발견하다	34 경제
08 지시하다	17 경제의	26 달성하다	35 시작하다
09 민주주의	18 나중의	27 공평한	

Review Test

☑️ 다음 영단어의 뜻을 우리말로 쓰시오.

01 economical	19 initial	
02 imitate	20 collect	
03 liter	21 latter	
04 sustain	22 contain	
05 welfare	23 litter	
06 economic	24 retain	
07 initiate	25 pertain	
08 maintain	26 dictate	
09 fare	27 detain	
10 bureaucracy	28 democracy	
11 obtain	29 later	
12 farewell	30 economics	
13 correct	31 fair	
14 dedicate	32 detect	
15 delete	33 attain	
16 economy	34 recollect	
17 intimate	35 entertain	
18 indicate		

정답

01 절약하는	10 관료주의	19 처음의	28 민주주의
02 모방하다	11 얻다	20 모으다	29 나중의
03 1리터	12 작별	21 후자의	30 경제학
04 지속시키다	13 고치다	22 포함하다	31 공평한
05 복지	14 헌신하다	23 쓰레기	32 발견하다
06 경제의	15 삭제하다	24 보유하다	33 달성하다
07 시작하다	16 경제	25 속하다	34 회상하다
08 유지하다	17 친한	26 지시하다	35 즐겁게 하다
09 요금	18 가리키다	27 억류하다	

DAY 6

176	**admit** [어드밋]	인정하다
177	**permit** [퍼밋]	허락하다
178	**submit** [써브밋]	제출하다
179	**summit** [써밋]	정상
180	**commit** [커밋]	저지르다
181	**emit** [이밋]	방출하다
182	**omit** [오밋]	생략하다

183	vomit [바밋]	토하다
184	burglar [버글러]	강도
185	vulgar [벌거]	저속한
186	castle [캐슬]	성
187	cattle [캐틀]	소
188	distinguish [디스팅귀쉬]	구별하다
189	extinguish [익스팅귀쉬]	끄다

190	expend [익스펜드]	소비하다
191	expand [익스팬드]	확장하다
192	extend [익스텐드]	확장하다
193	flour [플라워]	밀가루
194	floor [플로어]	바닥
195	garage [거라쥐]	차고
196	garbage [가비쥐]	쓰레기

197	hypothetical [하이퍼떼티컬]	가설의
198	hypnotic [힙나틱]	최면의
199	intuition [인투이션]	직관
200	tuition [투이션]	수업
201	lawn [론]	잔디
202	loan [로운]	대출
203	miser [마이저]	구두쇠

204	misery [미저리]	불행
205	organize [오거나이즈]	조직하다
206	originate [어리지네이트]	비롯되다
207	pray [프레이]	기도하다
208	prey [프레이]	먹잇감
209	quality [콸러티]	질
210	quantity [콴터티]	양

Review Test

☑️ 다음 영단어의 뜻을 우리말로 쓰시오.

01 submit		19 burglar	
02 emit		20 omit	
03 expend		21 admit	
04 vomit		22 vulgar	
05 commit		23 loan	
06 intuition		24 hypothetical	
07 misery		25 permit	
08 tuition		26 floor	
09 quantity		27 distinguish	
10 cattle		28 extinguish	
11 expand		29 lawn	
12 originate		30 quality	
13 summit		31 extend	
14 hypnotic		32 castle	
15 flour		33 pray	
16 prey		34 miser	
17 organize		35 garbage	
18 garage			

정답
01 제출하다	10 소	19 강도	28 끄다
02 방출하다	11 확장하다	20 생략하다	29 잔디
03 소비하다	12 비롯되다	21 인정하다	30 질
04 토하다	13 정상	22 저속한	31 확장하다
05 저지르다	14 최면의	23 대출	32 성
06 직관	15 밀가루	24 가설의	33 기도하다
07 불행	16 먹잇감	25 허락하다	34 구두쇠
08 수업	17 조직하다	26 바닥	35 쓰레기
09 양	18 차고	27 구별하다	

Review Test

☑ 다음 영단어의 뜻을 우리말로 쓰시오.

01 pray

02 distinguish

03 castle

04 garbage

05 extinguish

06 extend

07 vomit

08 hypnotic

09 expend

10 miser

11 prey

12 hypothetical

13 misery

14 flour

15 admit

16 loan

17 commit

18 cattle

19 burglar

20 lawn

21 emit

22 omit

23 floor

24 intuition

25 submit

26 garage

27 vulgar

28 expand

29 originate

30 tuition

31 quantity

32 summit

33 quality

34 permit

35 organize

정답

01 기도하다	10 구두쇠	19 강도	28 확장하다
02 구별하다	11 먹잇감	20 잔디	29 비롯되다
03 성	12 가설의	21 방출하다	30 수업
04 쓰레기	13 불행	22 생략하다	31 양
05 끄다	14 밀가루	23 바닥	32 정상
06 확장하다	15 인정하다	24 직관	33 질
07 토하다	16 대출	25 제출하다	34 허락하다
08 최면의	17 저지르다	26 차고	35 조직하다
09 소비하다	18 소	27 저속한	

Review Test

☑ 다음 영단어의 뜻을 우리말로 쓰시오.

01 garage		19 originate	
02 flour		20 expand	
03 misery		21 prey	
04 vulgar		22 cattle	
05 admit		23 expend	
06 tuition		24 extinguish	
07 quality		25 miser	
08 emit		26 loan	
09 hypothetical		27 permit	
10 vomit		28 garbage	
11 extend		29 omit	
12 submit		30 quantity	
13 lawn		31 hypnotic	
14 pray		32 floor	
15 summit		33 commit	
16 intuition		34 organize	
17 castle		35 distinguish	
18 burglar			

정답

01 차고	10 토하다	19 비롯되다	28 쓰레기
02 밀가루	11 확장하다	20 확장하다	29 생략하다
03 불행	12 제출하다	21 먹잇감	30 양
04 저속한	13 잔디	22 소	31 최면의
05 인정하다	14 기도하다	23 소비하다	32 바닥
06 수업	15 정상	24 끄다	33 저지르다
07 질	16 직관	25 구두쇠	34 조직하다
08 방출하다	17 성	26 대출	35 구별하다
09 가설의	18 강도	27 허락하다	

DAY 7

211	**affect** [어펙트]	영향을 미치다
212	**affection** [어펙션]	애정
213	**effect** [이펙트]	영향
214	**infect** [인펙트]	감염시키다
215	**defect** [디펙트]	결점
216	**defeat** [디피트]	이기다
217	**bare** [베어]	발가벗은

218	bear [베어]	견디다
219	censor [쎈써]	검열하다
220	censure [쎈슈어]	비난
221	deliver [딜리버]	배달하다
222	deliberate [딜리버럿]	숙고하다
223	delicate [델리컷]	섬세한
224	expression [익스프레션]	표현

225	impression [임프레션]	인상
226	depression [디프레션]	절망감
227	flame [플레임]	불꽃
228	frame [프레임]	틀
229	famine [패민]	굶주림
230	feminine [페머닌]	여성의
231	invade [인베이드]	침입하다

232	**evade** [이베이드]	피하다
233	**pervade** [퍼베이드]	만연하다
234	**interval** [인터벌]	간격
235	**intervene** [인터빈]	끼어들다
236	**interfere** [인터피어]	간섭하다
237	**medication** [메디케이션]	약물
238	**meditation** [메디테이션]	명상

239	**mediation** [미디에이션]	중재
240	**popularity** [파퓰래러티]	인기
241	**population** [파퓰레이션]	인구
242	**populous** [파퓰러스]	인구가 조밀한
243	**rise** [라이즈]	오르다
244	**raise** [레이즈]	올리다
245	**arise** [어라이즈]	생기다

Review Test

☑️ 다음 영단어의 뜻을 우리말로 쓰시오.

01 defect		19 defeat	
02 bear		20 arise	
03 infect		21 impression	
04 popularity		22 effect	
05 interval		23 affect	
06 intervene		24 bare	
07 expression		25 invade	
08 pervade		26 famine	
09 populous		27 deliver	
10 rise		28 affection	
11 evade		29 meditation	
12 censure		30 censor	
13 depression		31 raise	
14 population		32 deliberate	
15 delicate		33 mediation	
16 flame		34 feminine	
17 medication		35 interfere	
18 frame			

정답
01 결점	10 오르다	19 이기다	28 애정
02 견디다	11 피하다	20 생기다	29 명상
03 감염시키다	12 비난	21 인상	30 검열하다
04 인기	13 절망감	22 영향	31 올리다
05 간격	14 인구	23 영향을 미치다	32 숙고하다
06 끼어들다	15 섬세한	24 발가벗은	33 중재
07 표현	16 불꽃	25 침입하다	34 여성의
08 만연하다	17 약물	26 굶주림	35 간섭하다
09 인구가 조밀한	18 틀	27 배달하다	

55

Review Test

☑ 다음 영단어의 뜻을 우리말로 쓰시오.

01 mediation		19 pervade	
02 evade		20 raise	
03 intervene		21 populous	
04 expression		22 popularity	
05 impression		23 infect	
06 rise		24 affection	
07 bare		25 effect	
08 defeat		26 bear	
09 arise		27 frame	
10 population		28 invade	
11 deliberate		29 flame	
12 interval		30 depression	
13 censor		31 defect	
14 deliver		32 interfere	
15 delicate		33 affect	
16 famine		34 feminine	
17 medication		35 meditation	
18 censure			

정답
01 중재	10 인구	19 만연하다	28 침입하다
02 피하다	11 숙고하다	20 올리다	29 불꽃
03 끼어들다	12 간격	21 인구가 조밀한	30 절망감
04 표현	13 검열하다	22 인기	31 결점
05 인상	14 배달하다	23 감염시키다	32 간섭하다
06 오르다	15 섬세한	24 애정	33 영향을 미치다
07 발가벗은	16 굶주림	25 영향	34 여성의
08 이기다	17 약물	26 견디다	35 명상
09 생기다	18 비난	27 틀	

Review Test

☑ 다음 영단어의 뜻을 우리말로 쓰시오.

01 pervade		19 population	
02 mediation		20 deliberate	
03 raise		21 populous	
04 defect		22 affection	
05 intervene		23 arise	
06 evade		24 infect	
07 popularity		25 censor	
08 defeat		26 frame	
09 interfere		27 effect	
10 censure		28 deliver	
11 bear		29 rise	
12 interval		30 invade	
13 delicate		31 medication	
14 flame		32 depression	
15 impression		33 affect	
16 feminine		34 expression	
17 meditation		35 bare	
18 famine			

정답

01 만연하다	10 비난	19 인구	28 배달하다
02 중재	11 견디다	20 숙고하다	29 오르다
03 올리다	12 간격	21 인구가 조밀한	30 침입하다
04 결점	13 섬세한	22 애정	31 약물
05 끼어들다	14 불꽃	23 생기다	32 절망감
06 피하다	15 인상	24 감염시키다	33 영향을 미치다
07 인기	16 여성의	25 검열하다	34 표현
08 이기다	17 명상	26 틀	35 발가벗은
09 간섭하다	18 굶주림	27 영향	

DAY 8

246	ascribe [어스크라이브]	~의 탓으로 돌리다
247	inscribe [인스크라이브]	새기다
248	describe [디스크라이브]	묘사하다
249	subscribe [써브스크라이브]	구독하다
250	prescribe [프리스크라이브]	처방하다
251	transcribe [트랜스크라이브]	기록하다
252	bold [볼드]	대담한

253	**bald** [볼드]	대머리의
254	**desert** [데저트]	버리다
255	**dessert** [디저트]	후식
256	**community** [커뮤너티]	공동체
257	**commodity** [커마더티]	일용품
258	**pick** [픽]	따다
259	**peek** [픽]	엿보다

260	current [커런트]	현재의
261	currency [커런시]	화폐
262	flight [플라이트]	비행
263	fright [프라이트]	공포
264	freight [프레이트]	화물
265	habitat [해비탯]	서식지
266	inhabit [인해빗]	살다

No.	단어	뜻
267	inherit [인헤릿]	상속하다
268	inhibit [인히빗]	금지하다
269	imaginable [이매지너블]	상상할 수 있는
270	imaginary [이매지네리]	가상의
271	imaginative [이매지너티브]	상상력이 풍부한
272	luxurious [럭주어리어스]	사치스러운
273	luxuriant [럭주어리언트]	풍부한

274	massage [머싸쥐]	마사지
275	message [메씨쥐]	메세지
276	profession [프러페션]	직업
277	professional [프러페셔널]	전문적인
278	professor [프러페서]	교수
279	worship [워쉽]	숭배
280	warship [워쉽]	전함

Review Test

☑ 다음 영단어의 뜻을 우리말로 쓰시오.

01 massage		19 inhibit	
02 inherit		20 worship	
03 imaginary		21 professional	
04 peek		22 message	
05 current		23 subscribe	
06 professor		24 inscribe	
07 bold		25 describe	
08 transcribe		26 bald	
09 warship		27 fright	
10 profession		28 inhabit	
11 commodity		29 flight	
12 imaginable		30 currency	
13 desert		31 prescribe	
14 community		32 imaginative	
15 pick		33 ascribe	
16 freight		34 habitat	
17 luxurious		35 luxuriant	
18 dessert			

정답
01 마사지	10 직업	19 금지하다	28 살다
02 상속하다	11 일용품	20 숭배	29 비행
03 가상의	12 상상할 수 있는	21 전문적인	30 화폐
04 엿보다	13 버리다	22 메세지	31 처방하다
05 현재의	14 공동체	23 구독하다	32 상상력이 풍부한
06 교수	15 따다	24 새기다	33 ~의 탓으로 돌리다
07 대담한	16 화물	25 묘사하다	34 서식지
08 기록하다	17 사치스러운	26 대머리의	35 풍부한
09 전함	18 후식	27 공포	

Review Test

☑ 다음 영단어의 뜻을 우리말로 쓰시오.

01 prescribe		19 massage	
02 luxuriant		20 transcribe	
03 subscribe		21 warship	
04 imaginary		22 bold	
05 desert		23 flight	
06 dessert		24 imaginable	
07 worship		25 currency	
08 fright		26 ascribe	
09 community		27 luxurious	
10 freight		28 describe	
11 inhibit		29 current	
12 inhabit		30 bald	
13 inscribe		31 peek	
14 imaginative		32 professional	
15 commodity		33 profession	
16 pick		34 habitat	
17 inherit		35 message	
18 professor			

정답

01 처방하다	10 화물	19 마사지	28 묘사하다
02 풍부한	11 금지하다	20 기록하다	29 현재의
03 구독하다	12 살다	21 전함	30 대머리의
04 가상의	13 새기다	22 대담한	31 엿보다
05 버리다	14 상상력이 풍부한	23 비행	32 전문적인
06 후식	15 일용품	24 상상할 수 있는	33 직업
07 숭배	16 따다	25 화폐	34 서식지
08 공포	17 상속하다	26 ~의 탓으로 돌리다	35 메세지
09 공동체	18 교수	27 사치스러운	

Review Test

☑ 다음 영단어의 뜻을 우리말로 쓰시오.

01 inhibit		19 profession	
02 massage		20 commodity	
03 worship		21 professional	
04 prescribe		22 inscribe	
05 imaginary		23 warship	
06 inherit		24 subscribe	
07 message		25 desert	
08 transcribe		26 fright	
09 imaginative		27 describe	
10 dessert		28 community	
11 bald		29 professor	
12 imaginable		30 inhabit	
13 pick		31 luxurious	
14 flight		32 currency	
15 current		33 ascribe	
16 habitat		34 peek	
17 luxuriant		35 bold	
18 freight			

정답
01 금지하다	10 후식	19 직업	28 공동체
02 마사지	11 대머리의	20 일용품	29 교수
03 숭배	12 상상할 수 있는	21 전문적인	30 살다
04 처방하다	13 따다	22 새기다	31 사치스러운
05 가상의	14 비행	23 전함	32 화폐
06 상속하다	15 현재의	24 구독하다	33 ~의 탓으로 돌리다
07 메세지	16 서식지	25 버리다	34 엿보다
08 기록하다	17 풍부한	26 공포	35 대담한
09 상상력이 풍부한	18 화물	27 묘사하다	

DAY 9

281 aspect [애스펙트]		측면
282 respect [리스펙트]		존경하다
283 inspect [인스펙트]		조사하다
284 prospect [프라스펙트]		전망
285 suspect [써스펙트]		의심하다
286 suspend [써스펜드]		중지하다
287 breakthrough [브레익뜨루]		돌파

288	breakdown [브레익다운]	고장
289	composure [컴포저]	침착
290	composition [캄퍼지션]	구성
291	component [컴포넌트]	요소
292	emergence [이머전스]	출현
293	emergency [이머전씨]	비상사태
294	momentary [모먼테리]	일시적인

295	momentous [모멘터스]	중대한
296	momentum [모멘텀]	탄력
297	resolution [레절루션]	해결책
298	solution [썰루션]	해결책
299	revolution [레벌루션]	혁명
300	evolution [에벌루션]	진화
301	successful [썩세스풀]	성공적인

302	successive [썩세시브]	연속적인
303	success [썩세스]	성공
304	succession [썩세션]	연속
305	transfer [트랜스퍼]	옮기다
306	transform [트랜스폼]	변형하다
307	transport [트랜스포트]	운송하다
308	transplant [트랜스플랜트]	이식하다

309	transact [트랜쌕트]	거래하다
310	transmit [트랜스밋]	전송하다
311	vacation [베이케이션]	휴가
312	vocation [보케이션]	직업
313	withstand [위드스탠드]	견디다
314	withhold [위드홀드]	억누르다
315	withdraw [위드드로]	철회하다

Review Test

☑ 다음 영단어의 뜻을 우리말로 쓰시오.

01 transact		19 success	
02 successive		20 withhold	
03 transfer		21 vocation	
04 momentary		22 transmit	
05 momentous		23 prospect	
06 withstand		24 respect	
07 breakthrough		25 inspect	
08 suspend		26 breakdown	
09 withdraw		27 solution	
10 vacation		28 successful	
11 emergence		29 resolution	
12 succession		30 momentum	
13 composure		31 suspect	
14 component		32 transform	
15 emergency		33 aspect	
16 revolution		34 evolution	
17 transport		35 transplant	
18 composition			

정답

01 거래하다	10 휴가	19 성공	28 성공적인
02 연속적인	11 출현	20 억누르다	29 해결책
03 옮기다	12 연속	21 직업	30 탄력
04 일시적인	13 침착	22 전송하다	31 의심하다
05 중대한	14 요소	23 전망	32 변형하다
06 견디다	15 비상사태	24 존경하다	33 측면
07 돌파	16 혁명	25 조사하다	34 진화
08 중지하다	17 운송하다	26 고장	35 이식하다
09 철회하다	18 구성	27 해결책	

Review Test

☑ 다음 영단어의 뜻을 우리말로 쓰시오.

01 suspect		19 transact	
02 transplant		20 suspend	
03 prospect		21 withdraw	
04 transfer		22 breakthrough	
05 composure		23 resolution	
06 composition		24 succession	
07 withhold		25 momentum	
08 solution		26 aspect	
09 component		27 transport	
10 revolution		28 inspect	
11 success		29 momentous	
12 successful		30 breakdown	
13 respect		31 momentary	
14 transform		32 vocation	
15 emergence		33 vacation	
16 emergency		34 evolution	
17 successive		35 transmit	
18 withstand			

정답

01 의심하다	10 혁명	19 거래하다	28 조사하다
02 이식하다	11 성공	20 중지하다	29 중대한
03 전망	12 성공적인	21 철회하다	30 고장
04 옮기다	13 존경하다	22 돌파	31 일시적인
05 침착	14 변형하다	23 해결책	32 직업
06 구성	15 출현	24 연속	33 휴가
07 억누르다	16 비상사태	25 탄력	34 진화
08 해결책	17 연속적인	26 측면	35 전송하다
09 요소	18 견디다	27 운송하다	

Review Test

☑ 다음 영단어의 뜻을 우리말로 쓰시오.

01 success _____

02 transact _____

03 withhold _____

04 suspect _____

05 transfer _____

06 successive _____

07 transmit _____

08 suspend _____

09 transform _____

10 composition _____

11 breakdown _____

12 succession _____

13 emergency _____

14 resolution _____

15 momentous _____

16 evolution _____

17 transplant _____

18 revolution _____

19 vacation _____

20 emergence _____

21 vocation _____

22 respect _____

23 withdraw _____

24 prospect _____

25 composure _____

26 solution _____

27 inspect _____

28 component _____

29 withstand _____

30 successful _____

31 transport _____

32 momentum _____

33 aspect _____

34 momentary _____

35 breakthrough _____

정답
01 성공
02 거래하다
03 억누르다
04 의심하다
05 옮기다
06 연속적인
07 전송하다
08 중지하다
09 변형하다

10 구성
11 고장
12 연속
13 비상사태
14 해결책
15 중대한
16 진화
17 이식하다
18 혁명

19 휴가
20 출현
21 직업
22 존경하다
23 철회하다
24 전망
25 침착
26 해결책
27 조사하다

28 요소
29 견디다
30 성공적인
31 운송하다
32 탄력
33 측면
34 일시적인
35 돌파

DAY 10

316	**assist** [어씨스트]	돕다

317	**resist** [리지스트]	저항하다

318	**consist** [컨씨스트]	~로 구성되다

319	**insist** [인씨스트]	주장하다

320	**persist** [퍼씨스트]	주장하다

321	**exist** [이그지스트]	존재하다

322	**covert** [커버트]	비밀의

323	**convert** [컨버트]	변환시키다
324	**extrovert** [엑스트러버트]	외향적인 사람
325	**introvert** [인트러버트]	내향적인 사람
326	**controvert** [칸트러버트]	반박하다
327	**divert** [디버트]	방향을 바꾸다
328	**avert** [어버트]	피하다
329	**invert** [인버트]	뒤집다

330	domesticate [더메스티케이트]	사육하다
331	estimate [에스티메이트]	추정하다
332	ultimate [얼티멋]	궁극적인
333	eminent [에미넌트]	유명한
334	imminent [이미넌트]	긴급한
335	prominent [프라미넌트]	유명한
336	opponent [어포넌트]	상대방

337	**globe** [글로브]	지구
338	**grove** [그로브]	작은 숲
339	**intellectual** [인텔렉추얼]	지적인
340	**intelligent** [인텔리전트]	영리한
341	**intelligible** [인텔리저블]	명료한
342	**intension** [인텐션]	강도
343	**intention** [인텐션]	의도

344	massive [매씨브]	거대한
345	mass [매스]	덩어리
346	mess [메스]	엉망진창
347	messy [메씨]	어질러진
348	production [프라덕션]	생산
349	productivity [프라덕티비티]	생산성
350	produce [프라듀스]	농산물

Review Test

☑️ 다음 영단어의 뜻을 우리말로 쓰시오.

01 consist		19 extrovert	
02 exist		20 covert	
03 domesticate		21 assist	
04 convert		22 introvert	
05 persist		23 intension	
06 intellectual		24 globe	
07 massive		25 resist	
08 intelligent		26 imminent	
09 produce		27 avert	
10 divert		28 invert	
11 estimate		29 intelligible	
12 mess		30 productivity	
13 insist		31 ultimate	
14 grove		32 controvert	
15 eminent		33 messy	
16 production		34 intention	
17 mass		35 opponent	
18 prominent			

정답

01 ~로 구성되다	10 방향을 바꾸다	19 외향적인 사람	28 뒤집다
02 존재하다	11 추정하다	20 비밀의	29 명료한
03 사육하다	12 엉망진창	21 돕다	30 생산성
04 변환시키다	13 주장하다	22 내향적인 사람	31 궁극적인
05 주장하다	14 작은 숲	23 강도	32 반박하다
06 지적인	15 유명한	24 지구	33 어질러진
07 거대한	16 생산	25 저항하다	34 의도
08 영리한	17 덩어리	26 긴급한	35 상대방
09 농산물	18 유명한	27 피하다	

Review Test

☑ 다음 영단어의 뜻을 우리말로 쓰시오.

01 messy		19 extrovert	
02 avert		20 intelligible	
03 controvert		21 exist	
04 opponent		22 covert	
05 invert		23 imminent	
06 ultimate		24 intellectual	
07 convert		25 consist	
08 grove		26 prominent	
09 domesticate		27 introvert	
10 intention		28 estimate	
11 production		29 mess	
12 globe		30 intelligent	
13 massive		31 produce	
14 eminent		32 insist	
15 assist		33 productivity	
16 intension		34 resist	
17 persist		35 mass	
18 divert			

정답
01 어질러진	10 의도	19 외향적인 사람	28 추정하다
02 피하다	11 생산	20 명료한	29 엉망진창
03 반박하다	12 지구	21 존재하다	30 영리한
04 상대방	13 거대한	22 비밀의	31 농산물
05 뒤집다	14 유명한	23 긴급한	32 주장하다
06 궁극적인	15 돕다	24 지적인	33 생산성
07 변환시키다	16 강도	25 ~로 구성되다	34 저항하다
08 작은 숲	17 주장하다	26 유명한	35 덩어리
09 사육하다	18 방향을 바꾸다	27 내향적인 사람	

Review Test

☑️ 다음 영단어의 뜻을 우리말로 쓰시오.

01 prominent	19 mess
02 eminent	20 estimate
03 massive	21 production
04 introvert	22 divert
05 assist	23 domesticate
06 intelligent	24 invert
07 productivity	25 intention
08 exist	26 avert
09 globe	27 resist
10 convert	28 opponent
11 ultimate	29 covert
12 consist	30 produce
13 intelligible	31 grove
14 messy	32 imminent
15 insist	33 persist
16 intellectual	34 mass
17 controvert	35 intension
18 extrovert	

정답
01 유명한	10 변환시키다	19 엉망진창	28 상대방
02 유명한	11 궁극적인	20 추정하다	29 비밀의
03 거대한	12 ~로 구성되다	21 생산	30 농산물
04 내향적인 사람	13 명료한	22 방향을 바꾸다	31 작은 숲
05 돕다	14 어질러진	23 사육하다	32 긴급한
06 영리한	15 주장하다	24 뒤집다	33 주장하다
07 생산성	16 지적인	25 의도	34 덩어리
08 존재하다	17 반박하다	26 피하다	35 강도
09 지구	18 외향적인 사람	27 저항하다	

DAY 11

351	**aspire** [어스파이어]	열망하다
352	**expire** [익스파이어]	만료되다
353	**inspire** [인스파이어]	영감을 주다
354	**conspire** [컨스파이어]	음모를 꾸미다
355	**perspire** [퍼스파이어]	땀을 흘리다
356	**respire** [리스파이어]	호흡하다
357	**beast** [비스트]	짐승

358 breast [브레스트]		가슴
359 comply [컴플라이]		따르다
360 reply [리플라이]		대답하다
361 imply [임플라이]		함축하다
362 elect [일렉트]		선출하다
363 erect [이렉트]		세우다
364 swallow [스왈로우]		삼키다

365	shallow [쉘로우]	얕은
366	sparrow [스패로우]	참새
367	wave [웨이브]	물결
368	weave [위브]	짜다
369	various [베어리어스]	다양한
370	variable [베어리어블]	변하기 쉬운
371	valuable [밸류어블]	귀중한

372	invaluable [인밸류어블]	귀중한
373	valueless [밸류리스]	가치없는
374	priceless [프라이슬리스]	귀중한
375	thorough [떠로우]	철저한
376	through [뜨루]	~을 통해
377	though [도우]	비록 ~일지라도
378	thought [또트]	생각

379	robber [라버]	강도
380	rubber [러버]	고무
381	pulse [펄스]	맥박
382	purse [퍼스]	지갑
383	moral [모럴]	도덕적인
384	mortal [모털]	죽을 운명의
385	morale [모랠]	사기

Review Test

☑ 다음 영단어의 뜻을 우리말로 쓰시오.

01	perspire	_____	19	respire	_____
02	breast	_____	20	morale	_____
03	conspire	_____	21	shallow	_____
04	rubber	_____	22	inspire	_____
05	priceless	_____	23	aspire	_____
06	thorough	_____	24	beast	_____
07	swallow	_____	25	valuable	_____
08	valueless	_____	26	various	_____
09	purse	_____	27	imply	_____
10	moral	_____	28	expire	_____
11	invaluable	_____	29	thought	_____
12	reply	_____	30	comply	_____
13	sparrow	_____	31	mortal	_____
14	pulse	_____	32	elect	_____
15	erect	_____	33	robber	_____
16	wave	_____	34	variable	_____
17	though	_____	35	through	_____
18	weave	_____			

정답
01 땀을 흘리다	10 도덕적인	19 호흡하다	28 만료되다
02 가슴	11 귀중한	20 사기	29 생각
03 음모를 꾸미다	12 대답하다	21 얕은	30 따르다
04 고무	13 참새	22 영감을 주다	31 죽을 운명의
05 귀중한	14 맥박	23 열망하다	32 선출하다
06 철저한	15 세우다	24 짐승	33 강도
07 삼키다	16 물결	25 귀중한	34 변하기 쉬운
08 가치없는	17 비록 ~일지라도	26 다양한	35 ~을 통해
09 지갑	18 짜다	27 함축하다	

Review Test

☑ 다음 영단어의 뜻을 우리말로 쓰시오.

01 comply ....
02 sparrow ....
03 weave ....
04 swallow ....
05 valueless ....
06 reply ....
07 priceless ....
08 through ....
09 rubber ....
10 beast ....
11 purse ....
12 shallow ....
13 mortal ....
14 moral ....
15 thought ....
16 valuable ....
17 perspire ....
18 aspire ....

19 invaluable ....
20 erect ....
21 inspire ....
22 imply ....
23 respire ....
24 thorough ....
25 breast ....
26 variable ....
27 morale ....
28 expire ....
29 though ....
30 pulse ....
31 various ....
32 wave ....
33 robber ....
34 elect ....
35 conspire ....

정답
01 따르다	10 짐승	19 귀중한	28 만료되다
02 참새	11 지갑	20 세우다	29 비록 ~일지라도
03 짜다	12 얕은	21 영감을 주다	30 맥박
04 삼키다	13 죽을 운명의	22 함축하다	31 다양한
05 가치없는	14 도덕적인	23 호흡하다	32 물결
06 대답하다	15 생각	24 철저한	33 강도
07 귀중한	16 귀중한	25 가슴	34 선출하다
08 ~을 통해	17 땀을 흘리다	26 변하기 쉬운	35 음모를 꾸미다
09 고무	18 열망하다	27 사기	

Review Test

☑️ 다음 영단어의 뜻을 우리말로 쓰시오.

01 valuable		19 purse	
02 wave		20 shallow	
03 beast		21 robber	
04 swallow		22 imply	
05 thought		23 priceless	
06 morale		24 rubber	
07 valueless		25 erect	
08 conspire		26 moral	
09 aspire		27 perspire	
10 variable		28 thorough	
11 mortal		29 invaluable	
12 various		30 respire	
13 through		31 expire	
14 reply		32 sparrow	
15 comply		33 inspire	
16 pulse		34 weave	
17 breast		35 elect	
18 though			

정답

01 귀중한	10 변하기 쉬운	19 지갑	28 철저한
02 물결	11 죽을 운명의	20 얕은	29 귀중한
03 짐승	12 다양한	21 강도	30 호흡하다
04 삼키다	13 ~을 통해	22 함축하다	31 만료되다
05 생각	14 대답하다	23 귀중한	32 참새
06 사기	15 따르다	24 고무	33 영감을 주다
07 가치없는	16 맥박	25 세우다	34 짜다
08 음모를 꾸미다	17 가슴	26 도덕적인	35 선출하다
09 열망하다	18 비록 ~일지라도	27 땀을 흘리다	

DAY 12

386	**bow** [바우]	활
387	**bough** [바우]	큰 가지
388	**brow** [브라우]	이마
389	**grow** [그로우]	성장하다
390	**blow** [블로우]	불다
391	**glow** [글로우]	빛나다
392	**literal** [리터럴]	글자 그대로의

393	literary [리터레리]	문학의
394	literate [리터럿]	읽고 쓸 수 있는
395	illiterate [일리터럿]	읽고 쓸 수 없는
396	literacy [리터러씨]	읽고 쓰는 능력
397	illiteracy [일리터러씨]	문맹
398	general [제너럴]	일반적인
399	generous [제너러스]	관대한

400 generalize [제너럴라이즈]	일반화하다
401 generate [제너레이트]	발생시키다
402 deficient [디피션트]	부족한
403 proficient [프러피션트]	능숙한
404 sufficient [써피션트]	충분한
405 efficient [이피션트]	능률적인
406 cite [싸이트]	인용하다

407	site [싸이트]	장소
408	sight [싸이트]	시각
409	insight [인싸이트]	통찰력
410	contend [컨텐드]	다투다
411	pretend [프리텐드]	~인체하다
412	intend [인텐드]	의도하다
413	tend [텐드]	~하는 경향이 있다

414	confine [컨파인]	한정하다
415	define [디파인]	정의하다
416	refine [리파인]	정제하다
417	appreciation [어프리쉬에이션]	인정
418	application [어플리케이션]	응용
419	appliance [어플라이언스]	기구
420	applicant [애플리컨트]	지원자

Review Test

☑️ 다음 영단어의 뜻을 우리말로 쓰시오.

01 generous		19 illiteracy	
02 confine		20 appreciation	
03 bow		21 literary	
04 application		22 appliance	
05 illiterate		23 cite	
06 pretend		24 intend	
07 generate		25 literate	
08 literal		26 refine	
09 general		27 deficient	
10 define		28 literacy	
11 bough		29 glow	
12 blow		30 insight	
13 site		31 grow	
14 sufficient		32 brow	
15 tend		33 efficient	
16 applicant		34 sight	
17 contend		35 proficient	
18 generalize			

정답
01 관대한	10 정의하다	19 문맹	28 읽고 쓰는 능력
02 한정하다	11 큰 가지	20 인정	29 빛나다
03 활	12 불다	21 문학의	30 통찰력
04 응용	13 장소	22 기구	31 성장하다
05 읽고 쓸 수 없는	14 충분한	23 인용하다	32 이마
06 ~인체하다	15 ~하는 경향이 있다	24 의도하다	33 능률적인
07 발생시키다	16 지원자	25 읽고 쓸 수 있는	34 시각
08 글자 그대로의	17 다투다	26 정제하다	35 능숙한
09 일반적인	18 일반화하다	27 부족한	

Review Test

☑ 다음 영단어의 뜻을 우리말로 쓰시오.

01 literary		19 insight	
02 generous		20 confine	
03 proficient		21 blow	
04 literate		22 literacy	
05 intend		23 applicant	
06 grow		24 bow	
07 general		25 appreciation	
08 define		26 refine	
09 contend		27 pretend	
10 generalize		28 sight	
11 glow		29 application	
12 literal		30 brow	
13 illiteracy		31 deficient	
14 site		32 generate	
15 appliance		33 bough	
16 illiterate		34 efficient	
17 sufficient		35 tend	
18 cite			

정답

01 문학의	10 일반화하다	19 통찰력	28 시각
02 관대한	11 빛나다	20 한정하다	29 응용
03 능숙한	12 글자 그대로의	21 불다	30 이마
04 읽고 쓸 수 있는	13 문맹	22 읽고 쓰는 능력	31 부족한
05 의도하다	14 장소	23 지원자	32 발생시키다
06 성장하다	15 기구	24 활	33 큰 가지
07 일반적인	16 읽고 쓸 수 없는	25 인정	34 능률적인
08 정의하다	17 충분한	26 정제하다	35 ~하는 경향이 있다
09 다투다	18 인용하다	27 ~인체하다	

Review Test

☑ 다음 영단어의 뜻을 우리말로 쓰시오.

01 pretend		19 brow	
02 site		20 application	
03 literacy		21 proficient	
04 contend		22 intend	
05 refine		23 sight	
06 cite		24 illiterate	
07 deficient		25 appliance	
08 define		26 confine	
09 literal		27 generalize	
10 sufficient		28 grow	
11 bough		29 tend	
12 general		30 bow	
13 glow		31 illiteracy	
14 applicant		32 generous	
15 literate		33 efficient	
16 blow		34 generate	
17 insight		35 appreciation	
18 literary			

정답
01 ~인체하다	10 충분한	19 이마	28 성장하다
02 장소	11 큰 가지	20 응용	29 ~하는 경향이 있다
03 읽고 쓰는 능력	12 일반적인	21 능숙한	30 활
04 다투다	13 빛나다	22 의도하다	31 문맹
05 정제하다	14 지원자	23 시각	32 관대한
06 인용하다	15 읽고 쓸 수 있는	24 읽고 쓸 수 없는	33 능률적인
07 부족한	16 불다	25 기구	34 발생시키다
08 정의하다	17 통찰력	26 한정하다	35 인정
09 글자 그대로의	18 문학의	27 일반화하다	

421	**approve** [어프루브]	찬성하다
422	**improve** [임프루브]	개선시키다
423	**prove** [프루브]	입증하다
424	**disprove** [디스프루브]	잘못을 입증하다
425	**compose** [컴포즈]	구성하다
426	**impose** [임포즈]	부과하다
427	**oppose** [어포즈]	반대하다

428	**expose** [익스포즈]	노출시키다
429	**suppose** [써포즈]	가정하다
430	**propose** [프러포즈]	제안하다
431	**purpose** [퍼퍼스]	목적
432	**pose** [포즈]	제기하다
433	**pause** [포즈]	멈추다
434	**dispose** [디스포즈]	처리하다

435	distinct [디스팅크트]	뚜렷한
436	extinct [익스팅크트]	멸종된
437	instinct [인스팅크트]	본능
438	compel [컴펠]	강요하다
439	expel [익스펠]	쫓아내다
440	impel [임펠]	강요하다
441	propel [프러펠]	추진하다

442	**dispel** [디스펠]	쫓아버리다
443	**repel** [리펠]	쫓아버리다
444	**gaze** [게이즈]	응시하다
445	**graze** [그레이즈]	풀을 뜯다
446	**healthful** [헬뜨풀]	건강에 좋은
447	**healthy** [헬띠]	건강한
448	**inform** [인폼]	알리다

449	**reform** [리폼]	개혁하다
450	**jealous** [젤러스]	질투하는
451	**zealous** [젤러스]	열성적인
452	**moderate** [마더럿]	알맞은
453	**modest** [마디스트]	겸손한
454	**murder** [머더]	살인
455	**murmur** [머머]	중얼거리다

Review Test

☑ 다음 영단어의 뜻을 우리말로 쓰시오.

01 reform _____

02 dispel _____

03 graze _____

04 dispose _____

05 distinct _____

06 modest _____

07 oppose _____

08 impose _____

09 murmur _____

10 zealous _____

11 pose _____

12 gaze _____

13 suppose _____

14 purpose _____

15 pause _____

16 expel _____

17 healthy _____

18 propose _____

19 repel _____

20 murder _____

21 moderate _____

22 jealous _____

23 disprove _____

24 improve _____

25 prove _____

26 expose _____

27 compel _____

28 propel _____

29 instinct _____

30 extinct _____

31 compose _____

32 healthful _____

33 approve _____

34 impel _____

35 inform _____

정답
01 개혁하다
02 쫓아버리다
03 풀을 뜯다
04 처리하다
05 뚜렷한
06 겸손한
07 반대하다
08 부과하다
09 중얼거리다

10 열성적인
11 제기하다
12 응시하다
13 가정하다
14 목적
15 멈추다
16 쫓아내다
17 건강한
18 제안하다

19 쫓아버리다
20 살인
21 알맞은
22 질투하는
23 잘못을 입증하다
24 개선시키다
25 입증하다
26 노출시키다
27 강요하다

28 추진하다
29 본능
30 멸종된
31 구성하다
32 건강에 좋은
33 찬성하다
34 강요하다
35 알리다

103

Review Test

☑ 다음 영단어의 뜻을 우리말로 쓰시오.

01 compose		19 reform	
02 inform		20 impose	
03 disprove		21 murmur	
04 graze		22 oppose	
05 suppose		23 instinct	
06 propose		24 gaze	
07 murder		25 extinct	
08 compel		26 approve	
09 purpose		27 healthy	
10 expel		28 prove	
11 jealous		29 distinct	
12 propel		30 expose	
13 improve		31 dispose	
14 healthful		32 moderate	
15 pose		33 zealous	
16 pause		34 impel	
17 dispel		35 repel	
18 modest			

정답

01 구성하다	10 쫓아내다	19 개혁하다	28 입증하다
02 알리다	11 질투하는	20 부과하다	29 뚜렷한
03 잘못을 입증하다	12 추진하다	21 중얼거리다	30 노출시키다
04 풀을 뜯다	13 개선시키다	22 반대하다	31 처리하다
05 가정하다	14 건강에 좋은	23 본능	32 알맞은
06 제안하다	15 제기하다	24 응시하다	33 열성적인
07 살인	16 멈추다	25 멸종된	34 강요하다
08 강요하다	17 쫓아버리다	26 찬성하다	35 쫓아버리다
09 목적	18 겸손한	27 건강한	

Review Test

☑ 다음 영단어의 뜻을 우리말로 쓰시오.

01 repel	_____	19 zealous	_____
02 reform	_____	20 pose	_____
03 murder	_____	21 moderate	_____
04 compose	_____	22 improve	_____
05 graze	_____	23 murmur	_____
06 dispel	_____	24 disprove	_____
07 jealous	_____	25 suppose	_____
08 impose	_____	26 compel	_____
09 healthful	_____	27 prove	_____
10 propose	_____	28 purpose	_____
11 expose	_____	29 modest	_____
12 gaze	_____	30 propel	_____
13 pause	_____	31 healthy	_____
14 instinct	_____	32 extinct	_____
15 distinct	_____	33 approve	_____
16 impel	_____	34 dispose	_____
17 inform	_____	35 oppose	_____
18 expel	_____		

정답

01 쫓아버리다	10 제안하다	19 열성적인	28 목적
02 개혁하다	11 노출시키다	20 제기하다	29 겸손한
03 살인	12 응시하다	21 알맞은	30 추진하다
04 구성하다	13 멈추다	22 개선시키다	31 건강한
05 풀을 뜯다	14 본능	23 중얼거리다	32 멸종된
06 쫓아버리다	15 뚜렷한	24 잘못을 입증하다	33 찬성하다
07 질투하는	16 강요하다	25 가정하다	34 처리하다
08 부과하다	17 알리다	26 강요하다	35 반대하다
09 건강에 좋은	18 쫓아내다	27 입증하다	

DAY 14

456	proper [프라퍼]	적당한

457	prosper [프라스퍼]	번영하다

458	property [프라퍼티]	재산

459	poverty [파버티]	가난

460	prosperity [프라스페러티]	번영

461	disguise [디스가이즈]	변장

462	disgust [디스거스트]	혐오

463	despise [디스파이즈]	경멸하다
464	despair [디스페어]	절망
465	conserve [컨써브]	보존하다
466	converse [컨버스]	대화하다
467	preserve [프리저브]	보존하다
468	deserve [디저브]	~의 자격이 있다
469	observe [업저브]	관찰하다

470	reserve [리저브]	예약하다
471	reverse [리버스]	거꾸로 하다
472	diverse [다이버스]	다양한
473	inverse [인버스]	반대의
474	adverse [애드버스]	부정적인
475	apprehend [어프리헨드]	이해하다
476	reprehend [레프리헨드]	꾸짖다

477	**comprehend** [컴프리헨드]	이해하다
478	**awake** [어웨이크]	깨우다
479	**wake** [웨이크]	잠이 깨다
480	**waken** [웨이큰]	깨우다
481	**custom** [커스텀]	관습
482	**customs** [커스텀즈]	세관
483	**costume** [카스튬]	복장

484	dense [덴스]	빽빽한
485	tense [텐스]	긴장한
486	conviction [컨빅션]	확신
487	contention [컨텐션]	논쟁
488	concentration [컨센트레이션]	집중
489	fluency [플루언씨]	유창함
490	frequency [프리퀀씨]	빈도

Review Test

☑️ 다음 영단어의 뜻을 우리말로 쓰시오.

01 property		19 despair	
02 disguise		20 disgust	
03 reserve		21 proper	
04 despise		22 conserve	
05 prosperity		23 customs	
06 wake		24 comprehend	
07 dense		25 prosper	
08 waken		26 adverse	
09 frequency		27 deserve	
10 preserve		28 observe	
11 reverse		29 custom	
12 conviction		30 fluency	
13 poverty		31 diverse	
14 awake		32 converse	
15 inverse		33 contention	
16 concentration		34 costume	
17 tense		35 reprehend	
18 apprehend			

정답

01 재산	10 보존하다	19 절망	28 관찰하다
02 변장	11 거꾸로 하다	20 혐오	29 관습
03 예약하다	12 확신	21 적당한	30 유창함
04 경멸하다	13 가난	22 보존하다	31 다양한
05 번영	14 깨우다	23 세관	32 대화하다
06 잠이 깨다	15 반대의	24 이해하다	33 논쟁
07 빽빽한	16 집중	25 번영하다	34 복장
08 깨우다	17 긴장한	26 부정적인	35 꾸짖다
09 빈도	18 이해하다	27 ~의 자격이 있다	

Review Test

☑️ 다음 영단어의 뜻을 우리말로 쓰시오.

01 contention _____ 19 despair _____

02 deserve _____ 20 custom _____

03 converse _____ 21 disguise _____

04 reprehend _____ 22 disgust _____

05 observe _____ 23 adverse _____

06 diverse _____ 24 wake _____

07 despise _____ 25 property _____

08 awake _____ 26 apprehend _____

09 reserve _____ 27 conserve _____

10 costume _____ 28 reverse _____

11 concentration _____ 29 conviction _____

12 comprehend _____ 30 waken _____

13 dense _____ 31 frequency _____

14 inverse _____ 32 poverty _____

15 proper _____ 33 fluency _____

16 customs _____ 34 prosper _____

17 prosperity _____ 35 tense _____

18 preserve _____

정답	01 논쟁	10 복장	19 절망	28 거꾸로 하다
	02 ~의 자격이 있다	11 집중	20 관습	29 확신
	03 대화하다	12 이해하다	21 변장	30 깨우다
	04 꾸짖다	13 빽빽한	22 혐오	31 빈도
	05 관찰하다	14 반대의	23 부정적인	32 가난
	06 다양한	15 적당한	24 잠이 깨다	33 유창함
	07 경멸하다	16 세관	25 재산	34 번영하다
	08 깨우다	17 번영	26 이해하다	35 긴장한
	09 예약하다	18 보존하다	27 보존하다	

Review Test

☑ 다음 영단어의 뜻을 우리말로 쓰시오.

01 apprehend	_____		19 conviction	_____
02 inverse	_____		20 reverse	_____
03 dense	_____		21 concentration	_____
04 conserve	_____		22 preserve	_____
05 proper	_____		23 reserve	_____
06 waken	_____		24 observe	_____
07 fluency	_____		25 costume	_____
08 disguise	_____		26 customs	_____
09 comprehend	_____		27 prosper	_____
10 despise	_____		28 reprehend	_____
11 diverse	_____		29 disgust	_____
12 property	_____		30 frequency	_____
13 custom	_____		31 awake	_____
14 contention	_____		32 adverse	_____
15 poverty	_____		33 prosperity	_____
16 wake	_____		34 tense	_____
17 converse	_____		35 deserve	_____
18 despair	_____			

정답
01 이해하다	10 경멸하다	19 확신	28 꾸짖다
02 반대의	11 다양한	20 거꾸로 하다	29 혐오
03 빽빽한	12 재산	21 집중	30 빈도
04 보존하다	13 관습	22 보존하다	31 깨우다
05 적당한	14 논쟁	23 예약하다	32 부정적인
06 깨우다	15 가난	24 관찰하다	33 번영
07 유창함	16 잠이 깨다	25 복장	34 긴장한
08 변장	17 대화하다	26 세관	35 ~의 자격이 있다
09 이해하다	18 절망	27 번영하다	

113

DAY 15

491	**accord** [어코드]	일치
492	**concord** [칸코드]	일치
493	**discord** [디스코드]	불화
494	**discard** [디스카드]	버리다
495	**commend** [커멘드]	칭찬하다
496	**comment** [카멘트]	논평하다
497	**commence** [커멘스]	시작하다

498	command [커맨드]	명령하다
499	recommend [레커멘드]	추천하다
500	employer [임플로이어]	사장
501	employee [임플로이]	직원
502	heritage [헤리티쥐]	유산
503	heredity [허레더티]	유전
504	masculine [매스큘린]	남성의

505	**muscular** [머스큘러]	근육의
506	**legal** [리걸]	법적인
507	**legible** [레저블]	읽기 쉬운
508	**overview** [오버뷰]	개요
509	**review** [리뷰]	재검토하다
510	**preview** [프리뷰]	미리보기
511	**view** [뷰]	보다

512	sensible [쎈서블]	분별있는
513	sensitive [쎈서티브]	민감한
514	sensual [쎈슈얼]	육감적인
515	senseless [쎈슬리스]	감각이 없는
516	sensational [쎈세이셔널]	선풍적인
517	sensuous [쎈슈어스]	감각적인
518	worm [웜]	벌레

519	**swarm** [스웜]	무리
520	**industrious** [인더스트리어스]	부지런한
521	**industrial** [인더스트리얼]	산업의
522	**friction** [프릭션]	마찰
523	**fraction** [프랙션]	파편
524	**compact** [캄팩트]	소형인
525	**impact** [임팩트]	충격

Review Test

☑ 다음 영단어의 뜻을 우리말로 쓰시오.

01 recommend		19 sensible	
02 legal		20 heredity	
03 overview		21 discord	
04 masculine		22 employee	
05 sensitive		23 comment	
06 employer		24 senseless	
07 sensual		25 command	
08 sensational		26 preview	
09 industrious		27 impact	
10 commence		28 concord	
11 friction		29 sensuous	
12 muscular		30 industrial	
13 compact		31 review	
14 fraction		32 legible	
15 worm		33 swarm	
16 view		34 heritage	
17 commend		35 discard	
18 accord			

정답

01 추천하다	10 시작하다	19 분별있는	28 일치
02 법적인	11 마찰	20 유전	29 감각적인
03 개요	12 근육의	21 불화	30 산업의
04 남성의	13 소형인	22 직원	31 재검토하다
05 민감한	14 파편	23 논평하다	32 읽기 쉬운
06 사장	15 벌레	24 감각이 없는	33 무리
07 육감적인	16 보다	25 명령하다	34 유산
08 선풍적인	17 칭찬하다	26 미리보기	35 버리다
09 부지런한	18 일치	27 충격	

Review Test

☑ 다음 영단어의 뜻을 우리말로 쓰시오.

01	view		19	friction	
02	legible		20	muscular	
03	commence		21	swarm	
04	masculine		22	employee	
05	worm		23	sensual	
06	impact		24	industrious	
07	sensitive		25	heredity	
08	discard		26	fraction	
09	accord		27	commend	
10	preview		28	senseless	
11	compact		29	sensible	
12	review		30	comment	
13	sensational		31	concord	
14	employer		32	legal	
15	recommend		33	discord	
16	industrial		34	overview	
17	command		35	heritage	
18	sensuous				

정답

01 보다	10 미리보기	19 마찰	28 감각이 없는
02 읽기 쉬운	11 소형인	20 근육의	29 분별있는
03 시작하다	12 재검토하다	21 무리	30 논평하다
04 남성의	13 선풍적인	22 직원	31 일치
05 벌레	14 사장	23 육감적인	32 법적인
06 충격	15 추천하다	24 부지런한	33 불화
07 민감한	16 산업의	25 유전	34 개요
08 버리다	17 명령하다	26 파편	35 유산
09 일치	18 감각적인	27 칭찬하다	

Review Test

☑ 다음 영단어의 뜻을 우리말로 쓰시오.

01 masculine		19 heritage	
02 swarm		20 friction	
03 accord		21 command	
04 fraction		22 compact	
05 employer		23 view	
06 sensational		24 sensuous	
07 legal		25 recommend	
08 commence		26 industrial	
09 heredity		27 legible	
10 industrious		28 employee	
11 concord		29 comment	
12 commend		30 sensual	
13 sensible		31 discard	
14 review		32 discord	
15 worm		33 preview	
16 impact		34 sensitive	
17 senseless		35 overview	
18 muscular			

정답
01 남성의	10 부지런한	19 유산	28 직원
02 무리	11 일치	20 마찰	29 논평하다
03 일치	12 칭찬하다	21 명령하다	30 육감적인
04 파편	13 분별있는	22 소형인	31 버리다
05 사장	14 재검토하다	23 보다	32 불화
06 선풍적인	15 벌레	24 감각적인	33 미리보기
07 법적인	16 충격	25 추천하다	34 민감한
08 시작하다	17 감각이 없는	26 산업의	35 개요
09 유전	18 근육의	27 읽기 쉬운	

DAY 16

526	**conduce** [컨듀스]	이끌다
527	**induce** [인듀스]	유도하다
528	**seduce** [씨듀스]	유혹하다
529	**deduce** [디듀스]	추론하다
530	**constitute** [칸스터튜트]	구성하다
531	**substitute** [써브스티튜트]	대체하다
532	**institute** [인스티튜트]	연구소

533	**employ** [임플로이]	고용하다
534	**deploy** [디플로이]	배치하다
535	**certify** [써티파이]	증명하다
536	**fortify** [포티파이]	요새화하다
537	**certificate** [써티피컷]	증명서
538	**abroad** [어브로드]	해외로
539	**aboard** [어보드]	탑승하여

540	**board** [보드]	위원회
541	**broad** [브로드]	넓은
542	**statistically** [스태티스티컬리]	통계적으로
543	**strategically** [스트래티지컬리]	전략적으로
544	**bleed** [블리드]	피흘리다
545	**breed** [브리드]	기르다
546	**thread** [뜨레드]	실

547	threat [뜨레트]	위협
548	treat [트리트]	치료하다
549	verify [베러파이]	입증하다
550	versify [버서파이]	시를 짓다
551	ascend [어쎈드]	상승하다
552	ascent [어쎈트]	상승
553	descend [디쎈드]	하강하다

554	descent [디쎈트]	하강
555	transcend [트랜쎈드]	초월하다
556	conversion [컨버전]	전환
557	inversion [인버전]	도치
558	diversion [디버전]	전환
559	version [버전]	번역
560	vision [비전]	시야

Review Test

☑ 다음 영단어의 뜻을 우리말로 쓰시오.

01 employ		19 verify	
02 aboard		20 descent	
03 strategically		21 constitute	
04 deploy		22 fortify	
05 ascent		23 vision	
06 deduce		24 conduce	
07 abroad		25 inversion	
08 transcend		26 conversion	
09 versify		27 ascend	
10 board		28 treat	
11 substitute		29 diversion	
12 institute		30 seduce	
13 certificate		31 statistically	
14 threat		32 broad	
15 version		33 induce	
16 certify		34 breed	
17 bleed		35 descend	
18 thread			

정답

01 고용하다	10 위원회	19 입증하다	28 치료하다
02 탑승하여	11 대체하다	20 하강	29 전환
03 전략적으로	12 연구소	21 구성하다	30 유혹하다
04 배치하다	13 증명서	22 요새화하다	31 통계적으로
05 상승	14 위협	23 시야	32 넓은
06 추론하다	15 번역	24 이끌다	33 유도하다
07 해외로	16 증명하다	25 도치	34 기르다
08 초월하다	17 피흘리다	26 전환	35 하강하다
09 시를 짓다	18 실	27 상승하다	

Review Test

☑ 다음 영단어의 뜻을 우리말로 쓰시오.

01 deploy		19 descend	
02 broad		20 vision	
03 verify		21 board	
04 induce		22 employ	
05 seduce		23 transcend	
06 breed		24 inversion	
07 ascend		25 strategically	
08 conduce		26 ascent	
09 institute		27 diversion	
10 deduce		28 certificate	
11 fortify		29 substitute	
12 versify		30 certify	
13 aboard		31 constitute	
14 abroad		32 statistically	
15 treat		33 conversion	
16 threat		34 descent	
17 version		35 bleed	
18 thread			

정답
01 배치하다	10 추론하다	19 하강하다	28 증명서
02 넓은	11 요새화하다	20 시야	29 대체하다
03 입증하다	12 시를 짓다	21 위원회	30 증명하다
04 유도하다	13 탑승하여	22 고용하다	31 구성하다
05 유혹하다	14 해외로	23 초월하다	32 통계적으로
06 기르다	15 치료하다	24 도치	33 전환
07 상승하다	16 위협	25 전략적으로	34 하강
08 이끌다	17 번역	26 상승	35 피흘리다
09 연구소	18 실	27 전환	

Review Test

☑ 다음 영단어의 뜻을 우리말로 쓰시오.

01 ascend		19 seduce	
02 threat		20 diversion	
03 fortify		21 strategically	
04 versify		22 ascent	
05 conversion		23 treat	
06 thread		24 certify	
07 statistically		25 version	
08 transcend		26 descent	
09 institute		27 board	
10 bleed		28 deduce	
11 induce		29 descend	
12 abroad		30 conduce	
13 substitute		31 certificate	
14 vision		32 aboard	
15 deploy		33 breed	
16 constitute		34 broad	
17 verify		35 inversion	
18 employ			

정답
01 상승하다	10 피흘리다	19 유혹하다	28 추론하다
02 위협	11 유도하다	20 전환	29 하강하다
03 요새화하다	12 해외로	21 전략적으로	30 이끌다
04 시를 짓다	13 대체하다	22 상승	31 증명서
05 전환	14 시야	23 치료하다	32 탑승하여
06 실	15 배치하다	24 증명하다	33 기르다
07 통계적으로	16 구성하다	25 번역	34 넓은
08 초월하다	17 입증하다	26 하강	35 도치
09 연구소	18 고용하다	27 위원회	

DAY 17

561	confer [컨퍼]	수여하다
562	infer [인퍼]	추론하다
563	refer [리퍼]	언급하다
564	prefer [프리퍼]	선호하다
565	defer [디퍼]	연기하다
566	deter [디터]	방해하다
567	emerge [이머쥐]	나타나다

568 merge [머쥐]	합병하다
569 submerge [써브머쥐]	잠기다
570 heel [힐]	뒤꿈치
571 heal [힐]	치료하다
572 hill [힐]	언덕
573 noble [노블]	고상한
574 novel [나블]	참신한

575	**novelty** [나블티]	새로움
576	**proceed** [프로씨드]	나아가다
577	**precede** [프리씨드]	먼저 일어나다
578	**recede** [리씨드]	후퇴하다
579	**port** [포트]	항구
580	**fort** [포트]	요새
581	**sort** [소트]	종류

582	respectable [리스펙터블]	존경할만한
583	respected [리스펙티드]	존경받는
584	respectful [리스펙트풀]	존경하는
585	respective [리스펙티브]	각각의
586	statue [스태츄]	조각상
587	status [스테이터스]	지위
588	stature [스태춰]	키

589	statute [스태츄트]	법규
590	tide [타이드]	밀물과 썰물
591	tidy [타이디]	깔끔한
592	tiny [타이니]	작은
593	sacred [쎄이크리드]	신성한
594	scared [스캐어드]	겁먹은
595	scarce [스캐어스]	희귀한

Review Test

☑️ 다음 영단어의 뜻을 우리말로 쓰시오.

01 precede		19 respective	
02 respected		20 novelty	
03 respectful		21 scarce	
04 tiny		22 proceed	
05 deter		23 noble	
06 fort		24 confer	
07 submerge		25 tidy	
08 recede		26 merge	
09 stature		27 respectable	
10 statue		28 infer	
11 emerge		29 status	
12 sort		30 heal	
13 scared		31 sacred	
14 statute		32 prefer	
15 heel		33 port	
16 novel		34 tide	
17 hill		35 refer	
18 defer			

정답
01 먼저 일어나다
02 존경받는
03 존경하는
04 작은
05 방해하다
06 요새
07 잠기다
08 후퇴하다
09 키
10 조각상
11 나타나다
12 종류
13 겁먹은
14 법규
15 뒤꿈치
16 참신한
17 언덕
18 연기하다
19 각각의
20 새로움
21 희귀한
22 나아가다
23 고상한
24 수여하다
25 깔끔한
26 합병하다
27 존경할만한
28 추론하다
29 지위
30 치료하다
31 신성한
32 선호하다
33 항구
34 밀물과 썰물
35 언급하다

Review Test

☑️ 다음 영단어의 뜻을 우리말로 쓰시오.

01 respectful		19 recede	
02 sacred		20 scarce	
03 prefer		21 emerge	
04 deter		22 heal	
05 respective		23 status	
06 precede		24 noble	
07 sort		25 proceed	
08 confer		26 refer	
09 tiny		27 statue	
10 respected		28 novelty	
11 fort		29 port	
12 novel		30 respectable	
13 merge		31 heel	
14 statute		32 tidy	
15 scared		33 infer	
16 tide		34 hill	
17 submerge		35 defer	
18 stature			

정답

01 존경하는	10 존경받는	19 후퇴하다	28 새로움
02 신성한	11 요새	20 희귀한	29 항구
03 선호하다	12 참신한	21 나타나다	30 존경할만한
04 방해하다	13 합병하다	22 치료하다	31 뒤꿈치
05 각각의	14 법규	23 지위	32 깔끔한
06 먼저 일어나다	15 겁먹은	24 고상한	33 추론하다
07 종류	16 밀물과 썰물	25 나아가다	34 언덕
08 수여하다	17 잠기다	26 언급하다	35 연기하다
09 작은	18 키	27 조각상	

Review Test

☑️ 다음 영단어의 뜻을 우리말로 쓰시오.

01 sacred		19 heal	
02 tide		20 tiny	
03 hill		21 scarce	
04 precede		22 deter	
05 respective		23 respectful	
06 port		24 respected	
07 novel		25 prefer	
08 status		26 scared	
09 statute		27 proceed	
10 novelty		28 fort	
11 noble		29 submerge	
12 infer		30 refer	
13 tidy		31 recede	
14 statue		32 confer	
15 sort		33 respectable	
16 heel		34 defer	
17 merge		35 emerge	
18 stature			

정답
01 신성한	10 새로움	19 치료하다	28 요새
02 밀물과 썰물	11 고상한	20 작은	29 잠기다
03 언덕	12 추론하다	21 희귀한	30 언급하다
04 먼저 일어나다	13 깔끔한	22 방해하다	31 후퇴하다
05 각각의	14 조각상	23 존경하는	32 수여하다
06 항구	15 종류	24 존경받는	33 존경할만한
07 참신한	16 뒤꿈치	25 선호하다	34 연기하다
08 지위	17 합병하다	26 겁먹은	35 나타나다
09 법규	18 키	27 나아가다	

596	spit [스핏]	뱉다
597	spirit [스피릿]	정신
598	split [스플릿]	쪼개다
599	revoke [리보크]	취소하다
600	rebuke [리뷰크]	꾸짖다
601	evoke [이보크]	일깨우다
602	marble [마블]	대리석

603	marvel [마블]	놀라움
604	lamb [램]	새끼 양
605	limb [림]	팔다리
606	limp [림프]	절뚝거리다
607	daily [데일리]	매일의
608	diary [다이어리]	일기
609	dairy [데어리]	낙농업

610	**consistency** [컨씨스턴씨]	일관성
611	**hesitancy** [헤지턴씨]	주저
612	**insistence** [인씨스턴스]	주장
613	**confuse** [컨퓨즈]	혼란스럽게 하다
614	**refuse** [리퓨즈]	거절하다
615	**diffuse** [디퓨즈]	분산시키다
616	**confession** [컨페션]	고백

617	comparison [컴패리즌]	비교
618	compassion [컴패션]	연민
619	passion [패션]	열정
620	conceal [컨씰]	숨기다
621	reveal [리빌]	드러내다
622	concentrate [컨센트레이트]	집중하다
623	contaminate [컨태미네이트]	오염시키다

624	anonymous [어나너머스]	익명의
625	unanimous [유내너머스]	만장일치의
626	assert [어써트]	주장하다
627	alert [얼러트]	경계하는
628	exert [이그저트]	가하다
629	calculate [캘큘레이트]	계산하다
630	circulate [써큘레이트]	순환하다

Review Test

☑️ 다음 영단어의 뜻을 우리말로 쓰시오.

01 rebuke		19 anonymous	
02 contaminate		20 evoke	
03 revoke		21 circulate	
04 conceal		22 marble	
05 lamb		23 insistence	
06 limb		24 passion	
07 calculate		25 hesitancy	
08 confuse		26 spit	
09 limp		27 concentrate	
10 refuse		28 split	
11 compassion		29 consistency	
12 confession		30 marvel	
13 spirit		31 dairy	
14 reveal		32 alert	
15 daily		33 assert	
16 diary		34 diffuse	
17 comparison		35 unanimous	
18 exert			

정답

01 꾸짖다	10 거절하다	19 익명의	28 쪼개다
02 오염시키다	11 연민	20 일깨우다	29 일관성
03 취소하다	12 고백	21 순환하다	30 놀라움
04 숨기다	13 정신	22 대리석	31 낙농업
05 새끼 양	14 드러내다	23 주장	32 경계하는
06 팔다리	15 매일의	24 열정	33 주장하다
07 계산하다	16 일기	25 주저	34 분산시키다
08 혼란스럽게 하다	17 비교	26 뱉다	35 만장일치의
09 절뚝거리다	18 가하다	27 집중하다	

Review Test

☑ 다음 영단어의 뜻을 우리말로 쓰시오.

01 compassion	_____	19 assert	_____
02 anonymous	_____	20 daily	_____
03 calculate	_____	21 alert	_____
04 rebuke	_____	22 spirit	_____
05 conceal	_____	23 circulate	_____
06 comparison	_____	24 revoke	_____
07 unanimous	_____	25 lamb	_____
08 evoke	_____	26 confuse	_____
09 reveal	_____	27 split	_____
10 limb	_____	28 limp	_____
11 marvel	_____	29 exert	_____
12 passion	_____	30 confession	_____
13 diary	_____	31 concentrate	_____
14 insistence	_____	32 hesitancy	_____
15 consistency	_____	33 spit	_____
16 diffuse	_____	34 dairy	_____
17 contaminate	_____	35 marble	_____
18 refuse	_____		

정답
01 연민
02 익명의
03 계산하다
04 꾸짖다
05 숨기다
06 비교
07 만장일치의
08 일깨우다
09 드러내다
10 팔다리
11 놀라움
12 열정
13 일기
14 주장
15 일관성
16 분산시키다
17 오염시키다
18 거절하다
19 주장하다
20 매일의
21 경계하는
22 정신
23 순환하다
24 취소하다
25 새끼 양
26 혼란스럽게 하다
27 쪼개다
28 절뚝거리다
29 가하다
30 고백
31 집중하다
32 주저
33 뱉다
34 낙농업
35 대리석

Review Test

☑ 다음 영단어의 뜻을 우리말로 쓰시오.

01 split		19 lamb	
02 evoke		20 marble	
03 consistency		21 spit	
04 marvel		22 limb	
05 rebuke		23 concentrate	
06 passion		24 comparison	
07 anonymous		25 spirit	
08 conceal		26 refuse	
09 circulate		27 diary	
10 daily		28 dairy	
11 hesitancy		29 reveal	
12 assert		30 calculate	
13 revoke		31 insistence	
14 compassion		32 limp	
15 confuse		33 alert	
16 exert		34 contaminate	
17 unanimous		35 confession	
18 diffuse			

정답

01 쪼개다	10 매일의	19 새끼 양	28 낙농업
02 일깨우다	11 주저	20 대리석	29 드러내다
03 일관성	12 주장하다	21 뱉다	30 계산하다
04 놀라움	13 취소하다	22 팔다리	31 주장
05 꾸짖다	14 연민	23 집중하다	32 절뚝거리다
06 열정	15 혼란스럽게 하다	24 비교	33 경계하는
07 익명의	16 가하다	25 정신	34 오염시키다
08 숨기다	17 만장일치의	26 거절하다	35 고백
09 순환하다	18 분산시키다	27 일기	

DAY 19

631	**acclaim** [어클레임]	환호하다
632	**claim** [클레임]	주장하다
633	**proclaim** [프로클레임]	선언하다
634	**reclaim** [리클레임]	되찾다
635	**arrow** [애로우]	화살
636	**allow** [얼라우]	허락하다
637	**tempt** [템프트]	유혹하다

638	attempt [어템프트]	시도하다
639	summon [써먼]	소환하다
640	sermon [써먼]	설교
641	staff [스태프]	직원
642	stiff [스티프]	뻣뻣한
643	stuff [스터프]	물건
644	row [로우]	줄

645	**raw** [로]	날 것의
646	**pork** [포크]	돼지고기
647	**poke** [포크]	찌르다
648	**obsession** [업쎄션]	집착
649	**possession** [퍼제션]	소유
650	**memorable** [메머러블]	기억할만한
651	**memorial** [머모리얼]	기념의

652	loyal [로열]	충성스러운
653	royal [로열]	왕족의
654	interpret [인터프릿]	해석하다
655	interrupt [인터럽트]	방해하다
656	identity [아이덴터티]	정체성
657	identification [아이덴티피케이션]	신원확인
658	historic [히스토릭]	역사상 유명한

659	**historical** [히스토리컬]	역사의
660	**confirm** [컨펌]	확인하다
661	**conform** [컨폼]	따르다
662	**firm** [펌]	확고한
663	**correlation** [코릴레이션]	상관관계
664	**correction** [커렉션]	수정
665	**collection** [컬렉션]	수집

Review Test

☑️ 다음 영단어의 뜻을 우리말로 쓰시오.

01 firm		19 summon	
02 stuff		20 identity	
03 staff		21 allow	
04 memorial		22 tempt	
05 row		23 possession	
06 poke		24 interpret	
07 attempt		25 proclaim	
08 royal		26 memorable	
09 raw		27 sermon	
10 historic		28 pork	
11 correlation		29 conform	
12 loyal		30 interrupt	
13 historical		31 collection	
14 obsession		32 reclaim	
15 acclaim		33 correction	
16 identification		34 claim	
17 arrow		35 confirm	
18 stiff			

정답
01 확고한	10 역사상 유명한	19 소환하다	28 돼지고기
02 물건	11 상관관계	20 정체성	29 따르다
03 직원	12 충성스러운	21 허락하다	30 방해하다
04 기념의	13 역사의	22 유혹하다	31 수집
05 줄	14 집착	23 소유	32 되찾다
06 찌르다	15 환호하다	24 해석하다	33 수정
07 시도하다	16 신원확인	25 선언하다	34 주장하다
08 왕족의	17 화살	26 기억할만한	35 확인하다
09 날 것의	18 뻣뻣한	27 설교	

151

Review Test

☑ 다음 영단어의 뜻을 우리말로 쓰시오.

01 memorable		19 conform	
02 obsession		20 pork	
03 historical		21 correlation	
04 sermon		22 stiff	
05 acclaim		23 raw	
06 interrupt		24 row	
07 correction		25 historic	
08 allow		26 identification	
09 loyal		27 claim	
10 attempt		28 memorial	
11 poke		29 tempt	
12 proclaim		30 collection	
13 identity		31 royal	
14 firm		32 possession	
15 reclaim		33 arrow	
16 interpret		34 confirm	
17 staff		35 stuff	
18 summon			

정답
01 기억할만한	10 시도하다	19 따르다	28 기념의
02 집착	11 찌르다	20 돼지고기	29 유혹하다
03 역사의	12 선언하다	21 상관관계	30 수집
04 설교	13 정체성	22 뻣뻣한	31 왕족의
05 환호하다	14 확고한	23 날 것의	32 소유
06 방해하다	15 되찾다	24 줄	33 화살
07 수정	16 해석하다	25 역사상 유명한	34 확인하다
08 허락하다	17 직원	26 신원확인	35 물건
09 충성스러운	18 소환하다	27 주장하다	

Review Test

☑️ 다음 영단어의 뜻을 우리말로 쓰시오.

01 arrow		19 allow	
02 attempt		20 collection	
03 reclaim		21 raw	
04 confirm		22 proclaim	
05 interpret		23 acclaim	
06 interrupt		24 tempt	
07 row		25 memorial	
08 royal		26 possession	
09 firm		27 staff	
10 correlation		28 claim	
11 loyal		29 historic	
12 sermon		30 summon	
13 pork		31 correction	
14 conform		32 stiff	
15 stuff		33 historical	
16 poke		34 memorable	
17 identification		35 identity	
18 obsession			

정답

01 화살	10 상관관계	19 허락하다	28 주장하다
02 시도하다	11 충성스러운	20 수집	29 역사상 유명한
03 되찾다	12 설교	21 날 것의	30 소환하다
04 확인하다	13 돼지고기	22 선언하다	31 수정
05 해석하다	14 따르다	23 환호하다	32 뻣뻣한
06 방해하다	15 물건	24 유혹하다	33 역사의
07 줄	16 찌르다	25 기념의	34 기억할만한
08 왕족의	17 신원확인	26 소유	35 정체성
09 확고한	18 집착	27 직원	

666	assume [어쑴]	가정하다

667	presume [프리줌]	가정하다

668	resume [리줌]	다시 시작하다

669	consume [컨쑴]	소비하다

670	vain [베인]	헛된

671	vein [베인]	정맥

672	tolerable [탈러러블]	참을 수 있는

673	**tolerant** [탈러런트]	관대한
674	**strip** [스트립]	벗기다
675	**stripe** [스트라이프]	줄무늬
676	**strap** [스트랩]	가죽 끈
677	**suspicious** [써스피셔스]	의심스러운
678	**superstitious** [수퍼스티셔스]	미신의
679	**reap** [립]	수확하다

680	ripe [라이프]	익은
681	rite [라이트]	의식
682	neutral [뉴트럴]	중립적인
683	natural [내츄럴]	자연스러운
684	label [레이블]	상표
685	level [레벌]	수준
686	disinterested [디스인터레스티드]	공평한

687	**uninterested** [언인터레스티드]	무관심한
688	**comprise** [컴프라이즈]	포함하다
689	**compromise** [컴프러마이즈]	타협하다
690	**counter** [카운터]	계산대
691	**encounter** [인카운터]	만나다
692	**construct** [컨스트럭트]	건설하다
693	**destruct** [디스트럭트]	파괴하다

694	**care** [케어]	걱정

695	**core** [코어]	핵심

696	**amount** [어마운트]	양

697	**account** [어카운트]	설명하다

698	**count** [카운트]	중요하다

699	**avenue** [애버뉴]	거리

700	**revenue** [레버뉴]	수입

Review Test

☑ 다음 영단어의 뜻을 우리말로 쓰시오.

01 disinterested		19 account	
02 neutral		20 ripe	
03 tolerable		21 care	
04 reap		22 strap	
05 destruct		23 compromise	
06 revenue		24 core	
07 comprise		25 superstitious	
08 consume		26 count	
09 assume		27 vain	
10 level		28 counter	
11 avenue		29 uninterested	
12 label		30 vein	
13 encounter		31 presume	
14 stripe		32 rite	
15 strip		33 resume	
16 amount		34 natural	
17 tolerant		35 suspicious	
18 construct			

정답

01 공평한	10 수준	19 설명하다	28 계산대
02 중립적인	11 거리	20 익은	29 무관심한
03 참을 수 있는	12 상표	21 걱정	30 정맥
04 수확하다	13 만나다	22 가죽 끈	31 가정하다
05 파괴하다	14 줄무늬	23 타협하다	32 의식
06 수입	15 벗기다	24 핵심	33 다시 시작하다
07 포함하다	16 양	25 미신의	34 자연스러운
08 소비하다	17 관대한	26 중요하다	35 의심스러운
09 가정하다	18 건설하다	27 헛된	

Review Test

☑ 다음 영단어의 뜻을 우리말로 쓰시오.

01 reap _____

02 care _____

03 assume _____

04 count _____

05 stripe _____

06 encounter _____

07 rite _____

08 tolerable _____

09 superstitious _____

10 core _____

11 presume _____

12 vain _____

13 uninterested _____

14 label _____

15 destruct _____

16 revenue _____

17 counter _____

18 ripe _____

19 suspicious _____

20 account _____

21 tolerant _____

22 avenue _____

23 disinterested _____

24 construct _____

25 strip _____

26 amount _____

27 neutral _____

28 strap _____

29 vein _____

30 compromise _____

31 consume _____

32 resume _____

33 level _____

34 comprise _____

35 natural _____

정답
01 수확하다	10 핵심	19 의심스러운	28 가죽 끈
02 걱정	11 가정하다	20 설명하다	29 정맥
03 가정하다	12 헛된	21 관대한	30 타협하다
04 중요하다	13 무관심한	22 거리	31 소비하다
05 줄무늬	14 상표	23 공평한	32 다시 시작하다
06 만나다	15 파괴하다	24 건설하다	33 수준
07 의식	16 수입	25 벗기다	34 포함하다
08 참을 수 있는	17 계산대	26 양	35 자연스러운
09 미신의	18 익은	27 중립적인	

Review Test

☑ 다음 영단어의 뜻을 우리말로 쓰시오.

01 tolerant		19 compromise	
02 reap		20 care	
03 natural		21 vain	
04 strip		22 strap	
05 construct		23 revenue	
06 consume		24 assume	
07 superstitious		25 account	
08 core		26 amount	
09 counter		27 encounter	
10 ripe		28 comprise	
11 vein		29 count	
12 tolerable		30 resume	
13 suspicious		31 neutral	
14 uninterested		32 rite	
15 avenue		33 presume	
16 stripe		34 level	
17 label		35 destruct	
18 disinterested			

정답

01 관대한	10 익은	19 타협하다	28 포함하다
02 수확하다	11 정맥	20 걱정	29 중요하다
03 자연스러운	12 참을 수 있는	21 헛된	30 다시 시작하다
04 벗기다	13 의심스러운	22 가죽 끈	31 중립적인
05 건설하다	14 무관심한	23 수입	32 의식
06 소비하다	15 거리	24 가정하다	33 가정하다
07 미신의	16 줄무늬	25 설명하다	34 수준
08 핵심	17 상표	26 양	35 파괴하다
09 계산대	18 공평한	27 만나다	

161

701	adapt [어댑트]	적응시키다
702	adept [어뎁트]	숙달된
703	adopt [어답트]	채택하다
704	adjust [어저스트]	조절하다
705	announce [어나운스]	알리다
706	pronounce [프러나운스]	발음하다
707	renounce [리나운스]	포기하다

708	astrology [어스트랄러쥐]	점성술
709	astronomy [어스트라너미]	천문학
710	beckon [베컨]	신호하다
711	reckon [레컨]	세다
712	collar [칼러]	깃
713	color [컬러]	색
714	contact [컨택트]	접촉하다

715	connect [커넥트]	연결하다
716	comprehensive [컴프리헨시브]	포괄적인
717	comprehensible [컴프리헨서블]	이해할 수 있는
718	concise [컨싸이스]	간결한
719	precise [프리싸이스]	정확한
720	conclude [컨클루드]	결론을 내리다
721	include [인클루드]	포함시키다

722	exclude [익스클루드]	배제하다
723	devote [디보트]	헌신하다
724	devour [디바우어]	게걸스럽게 먹다
725	disrespect [디스리스펙트]	무례
726	introspect [인트러스펙트]	자기 반성하다
727	embarrass [임배러스]	당황하게 하다
728	embrace [임브레이스]	포옹하다

729	explicit [익스플리싯]	명백한
730	implicit [임플리싯]	함축적인
731	flea [플리]	벼룩
732	flee [플리]	도망치다
733	solve [쌀브]	해결하다
734	resolve [리잘브]	결심하다
735	dissolve [디잘브]	녹이다

Review Test

☑ 다음 영단어의 뜻을 우리말로 쓰시오.

01 announce	19 explicit	
02 embrace	20 pronounce	
03 adjust	21 dissolve	
04 disrespect	22 renounce	
05 astronomy	23 comprehensible	
06 beckon	24 devour	
07 resolve	25 comprehensive	
08 concise	26 adapt	
09 reckon	27 embarrass	
10 precise	28 adopt	
11 devote	29 connect	
12 include	30 astrology	
13 adept	31 contact	
14 introspect	32 flee	
15 collar	33 flea	
16 color	34 conclude	
17 exclude	35 implicit	
18 solve		

정답

01 알리다	10 정확한	19 명백한	28 채택하다
02 포옹하다	11 헌신하다	20 발음하다	29 연결하다
03 조절하다	12 포함시키다	21 녹이다	30 점성술
04 무례	13 숙달된	22 포기하다	31 접촉하다
05 천문학	14 자기 반성하다	23 이해할 수 있는	32 도망치다
06 신호하다	15 깃	24 게걸스럽게 먹다	33 벼룩
07 결심하다	16 색	25 포괄적인	34 결론을 내리다
08 간결한	17 배제하다	26 적응시키다	35 함축적인
09 세다	18 해결하다	27 당황하게 하다	

167

Review Test

☑ 다음 영단어의 뜻을 우리말로 쓰시오.

01 devote	19 flea
02 explicit	20 collar
03 resolve	21 flee
04 announce	22 adept
05 disrespect	23 dissolve
06 exclude	24 adjust
07 implicit	25 astronomy
08 pronounce	26 concise
09 introspect	27 adopt
10 beckon	28 reckon
11 astrology	29 solve
12 devour	30 include
13 color	31 embarrass
14 comprehensible	32 comprehensive
15 connect	33 adapt
16 conclude	34 contact
17 embrace	35 renounce
18 precise	

정답

01 헌신하다	10 신호하다	19 벼룩	28 세다
02 명백한	11 점성술	20 깃	29 해결하다
03 결심하다	12 게걸스럽게 먹다	21 도망치다	30 포함시키다
04 알리다	13 색	22 숙달된	31 당황하게 하다
05 무례	14 이해할 수 있는	23 녹이다	32 포괄적인
06 배제하다	15 연결하다	24 조절하다	33 적응시키다
07 함축적인	16 결론을 내리다	25 천문학	34 접촉하다
08 발음하다	17 포옹하다	26 간결한	35 포기하다
09 자기 반성하다	18 정확한	27 채택하다	

Review Test

☑ 다음 영단어의 뜻을 우리말로 쓰시오.

01 adopt		19 astronomy	
02 pronounce		20 renounce	
03 connect		21 adapt	
04 astrology		22 beckon	
05 announce		23 embarrass	
06 devour		24 exclude	
07 explicit		25 adept	
08 disrespect		26 precise	
09 dissolve		27 color	
10 collar		28 contact	
11 comprehensive		29 introspect	
12 flea		30 resolve	
13 adjust		31 comprehensible	
14 devote		32 reckon	
15 concise		33 flee	
16 solve		34 embrace	
17 implicit		35 include	
18 conclude			

정답
01 채택하다	10 깃	19 천문학	28 접촉하다
02 발음하다	11 포괄적인	20 포기하다	29 자기 반성하다
03 연결하다	12 벼룩	21 적응시키다	30 결심하다
04 점성술	13 조절하다	22 신호하다	31 이해할 수 있는
05 알리다	14 헌신하다	23 당황하게 하다	32 세다
06 게걸스럽게 먹다	15 간결한	24 배제하다	33 도망치다
07 명백한	16 해결하다	25 숙달된	34 포옹하다
08 무례	17 함축적인	26 정확한	35 포함시키다
09 녹이다	18 결론을 내리다	27 색	

736	**vague** [베이그]	모호한
737	**vogue** [보그]	유행
738	**tune** [튠]	멜로디
739	**tone** [톤]	음
740	**spill** [스필]	흘리다
741	**speel** [스필]	오르다
742	**relieve** [릴리브]	경감시키다

743	**release** [릴리스]	방출하다
744	**sigh** [싸이]	한숨쉬다
745	**sign** [싸인]	서명하다
746	**reliable** [릴라이어블]	믿을만한
747	**reliant** [릴라이언트]	의존하는
748	**stain** [스테인]	얼룩
749	**strain** [스트레인]	긴장

750	representative [레프리젠터티브]	대표자
751	representation [레프리젠테이션]	표현
752	scold [스콜드]	꾸짖다
753	scorn [스콘]	경멸하다
754	rob [랍]	강탈하다
755	rub [럽]	문지르다
756	quit [큇]	그만두다

757	quite [콰잇]	꽤
758	preside [프리자이드]	주도하다
759	reside [리자이드]	살다
760	odor [오더]	냄새
761	order [오더]	주문
762	perspective [퍼스펙티브]	관점
763	prospective [프라스펙티브]	기대되는

764	**lurk** [러크]	숨다
765	**lure** [루어]	유혹하다
766	**cherish** [체리쉬]	소중히 여기다
767	**perish** [페리쉬]	죽다
768	**polish** [팔리쉬]	광을 내다
769	**clown** [클라운]	광대
770	**crown** [크라운]	왕관

Review Test

☑ 다음 영단어의 뜻을 우리말로 쓰시오.

01 perish		19 sigh	
02 stain		20 order	
03 reliable		21 speel	
04 quit		22 relieve	
05 strain		23 rob	
06 scold		24 reside	
07 release		25 tune	
08 preside		26 rub	
09 representative		27 sign	
10 prospective		28 representation	
11 polish		29 cherish	
12 quite		30 odor	
13 lurk		31 crown	
14 scorn		32 tone	
15 vague		33 clown	
16 perspective		34 vogue	
17 spill		35 lure	
18 reliant			

정답
01 죽다	10 기대되는	19 한숨쉬다	28 표현
02 얼룩	11 광을 내다	20 주문	29 소중히 여기다
03 믿을만한	12 꽤	21 오르다	30 냄새
04 그만두다	13 숨다	22 경감시키다	31 왕관
05 긴장	14 경멸하다	23 강탈하다	32 음
06 꾸짖다	15 모호한	24 살다	33 광대
07 방출하다	16 관점	25 멜로디	34 유행
08 주도하다	17 흘리다	26 문지르다	35 유혹하다
09 대표자	18 의존하는	27 서명하다	

Review Test

☑ 다음 영단어의 뜻을 우리말로 쓰시오.

01 rub

02 scorn

03 lurk

04 sign

05 vague

06 odor

07 clown

08 speel

09 quite

10 release

11 scold

12 tune

13 order

14 perish

15 tone

16 reside

17 reliable

18 sigh

19 cherish

20 representation

21 polish

22 reliant

23 representative

24 strain

25 prospective

26 perspective

27 vogue

28 quit

29 relieve

30 crown

31 preside

32 rob

33 spill

34 lure

35 stain

정답

01 문지르다	10 방출하다	19 소중히 여기다	28 그만두다
02 경멸하다	11 꾸짖다	20 표현	29 경감시키다
03 숨다	12 멜로디	21 광을 내다	30 왕관
04 서명하다	13 주문	22 의존하는	31 주도하다
05 모호한	14 죽다	23 대표자	32 강탈하다
06 냄새	15 음	24 긴장	33 흘리다
07 광대	16 살다	25 기대되는	34 유혹하다
08 오르다	17 믿을만한	26 관점	35 얼룩
09 꽤	18 한숨쉬다	27 유행	

Review Test

☑ 다음 영단어의 뜻을 우리말로 쓰시오.

01 spill		19 speel	
02 release		20 crown	
03 tone		21 representative	
04 lure		22 tune	
05 reside		23 vague	
06 odor		24 relieve	
07 strain		25 quit	
08 preside		26 rob	
09 perish		27 reliable	
10 polish		28 vogue	
11 quite		29 prospective	
12 sign		30 sigh	
13 representation		31 clown	
14 cherish		32 reliant	
15 stain		33 lurk	
16 scold		34 rub	
17 perspective		35 order	
18 scorn			

정답

01 흘리다	10 광을 내다	19 오르다	28 유행
02 방출하다	11 꽤	20 왕관	29 기대되는
03 음	12 서명하다	21 대표자	30 한숨쉬다
04 유혹하다	13 표현	22 멜로디	31 광대
05 살다	14 소중히 여기다	23 모호한	32 의존하는
06 냄새	15 얼룩	24 경감시키다	33 숨다
07 긴장	16 꾸짖다	25 그만두다	34 문지르다
08 주도하다	17 관점	26 강탈하다	35 주문
09 죽다	18 경멸하다	27 믿을만한	

771	**attach** [어태취]	붙이다
772	**detach** [디태취]	떼어내다
773	**approach** [어프로취]	접근하다
774	**reproach** [리프로취]	비난하다
775	**trial** [트라이얼]	시도
776	**trivial** [트리비얼]	사소한
777	**state** [스테이트]	상태

778	**stale** [스테일]	상한
779	**relevant** [렐러번트]	관련있는
780	**prevalent** [프레벌런트]	만연해있는
781	**optimism** [압티미즘]	낙관주의
782	**pessimism** [페씨미즘]	비관주의
783	**moan** [몬]	신음소리
784	**mourn** [몬]	슬퍼하다

785	**leap** [립]	도약하다
786	**lip** [립]	입술
787	**impulse** [임펄스]	충동
788	**pulse** [펄스]	맥박
789	**irrigate** [이러게이트]	물을 대다
790	**irritate** [이러테이트]	화나게 하다
791	**humble** [험블]	겸손한

792	**humiliate** [휴밀리에이트]	창피를 주다
793	**income** [인컴]	수입
794	**outcome** [아웃컴]	결과
795	**heap** [힙]	쌓아올리다
796	**hip** [힙]	엉덩이
797	**glass** [글래스]	유리
798	**grass** [그래스]	풀

799	hire [하이어]	고용하다
800	heir [에어]	상속인
801	gem [젬]	보석
802	germ [점]	병원균
803	acquire [어콰이어]	얻다
804	inquire [인콰이어]	물어보다
805	require [리콰이어]	요청하다

Review Test

☑ 다음 영단어의 뜻을 우리말로 쓰시오.

01 relevant	19 humiliate
02 lip	20 moan
03 pulse	21 approach
04 mourn	22 optimism
05 income	23 trivial
06 prevalent	24 heap
07 outcome	25 stale
08 hip	26 irritate
09 heir	27 require
10 state	28 detach
11 germ	29 glass
12 leap	30 gem
13 inquire	31 irrigate
14 acquire	32 impulse
15 grass	33 hire
16 humble	34 pessimism
17 trial	35 reproach
18 attach	

정답
01 관련있는
02 입술
03 맥박
04 슬퍼하다
05 수입
06 만연해있는
07 결과
08 엉덩이
09 상속인
10 상태
11 병원균
12 도약하다
13 물어보다
14 얻다
15 풀
16 겸손한
17 시도
18 붙이다
19 창피를 주다
20 신음소리
21 접근하다
22 낙관주의
23 사소한
24 쌓아올리다
25 상한
26 화나게 하다
27 요청하다
28 떼어내다
29 유리
30 보석
31 물을 대다
32 충동
33 고용하다
34 비관주의
35 비난하다

Review Test

01 humble _____

02 impulse _____

03 state _____

04 mourn _____

05 grass _____

06 require _____

07 income _____

08 reproach _____

09 attach _____

10 irritate _____

11 inquire _____

12 irrigate _____

13 hip _____

14 prevalent _____

15 relevant _____

16 gem _____

17 stale _____

18 glass _____

19 germ _____

20 leap _____

21 hire _____

22 optimism _____

23 outcome _____

24 heir _____

25 moan _____

26 acquire _____

27 trial _____

28 heap _____

29 humiliate _____

30 trivial _____

31 detach _____

32 lip _____

33 approach _____

34 pulse _____

35 pessimism _____

정답

01 겸손한	10 화나게 하다	19 병원균	28 쌓아올리다
02 충동	11 물어보다	20 도약하다	29 창피를 주다
03 상태	12 물을 대다	21 고용하다	30 사소한
04 슬퍼하다	13 엉덩이	22 낙관주의	31 떼어내다
05 풀	14 만연해있는	23 결과	32 입술
06 요청하다	15 관련있는	24 상속인	33 접근하다
07 수입	16 보석	25 신음소리	34 맥박
08 비난하다	17 상한	26 얻다	35 비관주의
09 붙이다	18 유리	27 시도	

Review Test

☑ 다음 영단어의 뜻을 우리말로 쓰시오.

01 mourn		19 pessimism	
02 hire		20 germ	
03 attach		21 stale	
04 acquire		22 inquire	
05 prevalent		23 humble	
06 hip		24 glass	
07 lip		25 relevant	
08 state		26 gem	
09 moan		27 impulse	
10 heir		28 optimism	
11 detach		29 trivial	
12 trial		30 outcome	
13 humiliate		31 reproach	
14 irrigate		32 approach	
15 grass		33 irritate	
16 require		34 income	
17 heap		35 pulse	
18 leap			

정답

01 슬퍼하다	10 상속인	19 비관주의	28 낙관주의
02 고용하다	11 떼어내다	20 병원균	29 사소한
03 붙이다	12 시도	21 상한	30 결과
04 얻다	13 창피를 주다	22 물어보다	31 비난하다
05 만연해있는	14 물을 대다	23 겸손한	32 접근하다
06 엉덩이	15 풀	24 유리	33 화나게 하다
07 입술	16 요청하다	25 관련있는	34 수입
08 상태	17 쌓아올리다	26 보석	35 맥박
09 신음소리	18 도약하다	27 충동	

806	**award** [어워드]	상

807	**inward** [인워드]	안쪽으로

808	**outward** [아웃워드]	바깥쪽으로

809	**reward** [리워드]	보상

810	**shortcut** [숏컷]	지름길

811	**shortcoming** [숏커밍]	단점

812	**amaze** [어메이즈]	놀라게 하다

813	**amuse** [어뮤즈]	즐겁게 하다
814	**antipathy** [앤티퍼띠]	반감
815	**apathy** [애퍼띠]	무관심
816	**sympathy** [씸퍼띠]	동정
817	**empathy** [엠퍼띠]	공감
818	**break** [브레이크]	부수다
819	**brake** [브레이크]	제동을 걸다

820	attraction [어트랙션]	명소
821	distraction [디스트랙션]	주의산만한 것
822	banish [배니쉬]	추방하다
823	vanish [배니쉬]	사라지다
824	authority [어떠러티]	권위
825	authentic [오뗀틱]	진짜의
826	text [텍스트]	본문

827	texture [텍스춰]	직물
828	surface [써피스]	표면
829	suffice [써파이스]	충분하다
830	sweet [스윗]	달콤한
831	sweat [스웻]	땀
832	region [리전]	지역
833	religion [릴리전]	종교

834	**persecute** [퍼씨큐트]	학대하다
835	**prosecute** [프라씨큐트]	기소하다
836	**recreate** [리크리에이트]	기분 전환을 하다
837	**create** [크리에이트]	만들다
838	**roar** [로어]	으르렁거리다
839	**soar** [쏘어]	솟아오르다
840	**soak** [쏘크]	적시다

Review Test

☑ 다음 영단어의 뜻을 우리말로 쓰시오.

01 amuse		19 suffice	
02 brake		20 persecute	
03 vanish		21 shortcut	
04 antipathy		22 sympathy	
05 region		23 soak	
06 reward		24 award	
07 break		25 create	
08 prosecute		26 recreate	
09 sweet		27 sweat	
10 attraction		28 surface	
11 shortcoming		29 roar	
12 amaze		30 outward	
13 empathy		31 banish	
14 texture		32 distraction	
15 soar		33 inward	
16 apathy		34 authentic	
17 authority		35 religion	
18 text			

정답 01 즐겁게 하다   10 명소   19 충분하다   28 표면
      02 제동을 걸다   11 단점   20 학대하다   29 으르렁거리다
      03 사라지다   12 놀라게 하다   21 지름길   30 바깥쪽으로
      04 반감   13 공감   22 동정   31 추방하다
      05 지역   14 직물   23 적시다   32 주의산만한 것
      06 보상   15 솟아오르다   24 상   33 안쪽으로
      07 부수다   16 무관심   25 만들다   34 진짜의
      08 기소하다   17 권위   26 기분 전환을 하다 35 종교
      09 달콤한   18 본문   27 땀

Review Test

☑ 다음 영단어의 뜻을 우리말로 쓰시오.

01 antipathy	19 religion
02 distraction	20 soak
03 suffice	21 attraction
04 inward	22 amuse
05 outward	23 prosecute
06 authentic	24 create
07 sweat	25 vanish
08 award	26 region
09 amaze	27 roar
10 reward	28 empathy
11 sympathy	29 shortcoming
12 sweet	30 apathy
13 brake	31 shortcut
14 break	32 banish
15 surface	33 recreate
16 texture	34 persecute
17 soar	35 authority
18 text	

정답

01 반감	10 보상	19 종교	28 공감
02 주의산만한 것	11 동정	20 적시다	29 단점
03 충분하다	12 달콤한	21 명소	30 무관심
04 안쪽으로	13 제동을 걸다	22 즐겁게 하다	31 지름길
05 바깥쪽으로	14 부수다	23 기소하다	32 추방하다
06 진짜의	15 표면	24 만들다	33 기분 전환을 하다
07 땀	16 직물	25 사라지다	34 학대하다
08 상	17 솟아오르다	26 지역	35 권위
09 놀라게 하다	18 본문	27 으르렁거리다	

Review Test

☑ 다음 영단어의 뜻을 우리말로 쓰시오.

01 sweat		19 outward	
02 texture		20 roar	
03 sympathy		21 vanish	
04 sweet		22 region	
05 recreate		23 surface	
06 text		24 apathy	
07 banish		25 soar	
08 prosecute		26 persecute	
09 amaze		27 attraction	
10 authority		28 reward	
11 inward		29 religion	
12 break		30 award	
13 shortcoming		31 empathy	
14 soak		32 brake	
15 antipathy		33 authentic	
16 shortcut		34 distraction	
17 suffice		35 create	
18 amuse			

정답

01 땀	10 권위	19 바깥쪽으로	28 보상
02 직물	11 안쪽으로	20 으르렁거리다	29 종교
03 동정	12 부수다	21 사라지다	30 상
04 달콤한	13 단점	22 지역	31 공감
05 기분 전환을 하다	14 적시다	23 표면	32 제동을 걸다
06 본문	15 반감	24 무관심	33 진짜의
07 추방하다	16 지름길	25 솟아오르다	34 주의산만한 것
08 기소하다	17 충분하다	26 학대하다	35 만들다
09 놀라게 하다	18 즐겁게 하다	27 명소	

841	**assign** [어싸인]	할당하다
842	**align** [얼라인]	정렬하다
843	**resign** [리자인]	사임하다
844	**design** [디자인]	설계하다
845	**beat** [비트]	치다
846	**bite** [바이트]	물다
847	**confident** [컨피던트]	자신있는

848	confidential [컨피덴셜]	은밀한
849	beside [비싸이드]	~옆에
850	besides [비싸이즈]	~이외에도
851	activate [액티베이트]	활성화하다
852	cultivate [컬티베이트]	경작하다
853	avenge [어벤쥐]	복수하다
854	revenge [리벤쥐]	복수하다

855	ally [얼라이]	동맹하다
856	alley [앨리]	골목
857	blunt [블런트]	무딘
858	blurt [블러트]	불쑥 말하다
859	counsel [카운슬]	상담
860	council [카운슬]	의회
861	disease [디지즈]	질병

862	decease [디크리스]	사망
863	contemporary [컨템포러리]	동시대의
864	temporary [템포러리]	일시적인
865	collaborate [컬래버레이트]	협력하다
866	elaborate [일래버레이트]	정교한
867	constantly [칸스턴틀리]	끊임없이
868	consistently [컨씨스턴틀리]	끊임없이

869	decay [디케이]	썩다
870	delay [딜레이]	미루다
871	facility [퍼씰러티]	시설
872	faculty [패컬티]	재능
873	content [칸텐트]	만족하는
874	intent [인텐트]	몰두하는
875	extent [익스텐트]	정도

Review Test

☑️ 다음 영단어의 뜻을 우리말로 쓰시오.

01 decay		19 contemporary	
02 decease		20 intent	
03 collaborate		21 faculty	
04 revenge		22 delay	
05 ally		23 design	
06 content		24 align	
07 confident		25 resign	
08 bite		26 confidential	
09 extent		27 blurt	
10 facility		28 disease	
11 cultivate		29 blunt	
12 temporary		30 alley	
13 beside		31 beat	
14 activate		32 elaborate	
15 avenge		33 assign	
16 counsel		34 council	
17 constantly		35 consistently	
18 besides			

정답

01 썩다	10 시설	19 동시대의	28 질병
02 사망	11 경작하다	20 몰두하는	29 무딘
03 협력하다	12 일시적인	21 재능	30 골목
04 복수하다	13 ~옆에	22 미루다	31 치다
05 동맹하다	14 활성화하다	23 설계하다	32 정교한
06 만족하는	15 복수하다	24 정렬하다	33 할당하다
07 자신있는	16 상담	25 사임하다	34 의회
08 물다	17 끊임없이	26 은밀한	35 끊임없이
09 정도	18 ~이외에도	27 불쑥 말하다	

Review Test

☑ 다음 영단어의 뜻을 우리말로 쓰시오.

01 beat   19 decay

02 consistently   20 bite

03 design   21 extent

04 collaborate   22 confident

05 beside   23 blunt

06 besides   24 temporary

07 intent   25 alley

08 blurt   26 assign

09 activate   27 constantly

10 counsel   28 resign

11 contemporary   29 ally

12 disease   30 confidential

13 align   31 revenge

14 elaborate   32 faculty

15 cultivate   33 facility

16 avenge   34 council

17 decease   35 delay

18 content

정답

01 치다	10 상담	19 썩다	28 사임하다
02 끊임없이	11 동시대의	20 물다	29 동맹하다
03 설계하다	12 질병	21 정도	30 은밀한
04 협력하다	13 정렬하다	22 자신있는	31 복수하다
05 ~옆에	14 정교한	23 무딘	32 재능
06 ~이외에도	15 경작하다	24 일시적인	33 시설
07 몰두하는	16 복수하다	25 골목	34 의회
08 불쑥 말하다	17 사망	26 할당하다	35 미루다
09 활성화하다	18 만족하는	27 끊임없이	

Review Test

☑ 다음 영단어의 뜻을 우리말로 쓰시오.

01 contemporary		19 facility	
02 decay		20 cultivate	
03 intent		21 faculty	
04 beat		22 align	
05 collaborate		23 extent	
06 decease		24 design	
07 delay		25 beside	
08 bite		26 blurt	
09 elaborate		27 resign	
10 besides		28 activate	
11 confidential		29 content	
12 temporary		30 disease	
13 avenge		31 constantly	
14 blunt		32 alley	
15 ally		33 assign	
16 council		34 revenge	
17 consistently		35 confident	
18 counsel			

정답

01 동시대의	10 ~이외에도	19 시설	28 활성화하다
02 썩다	11 은밀한	20 경작하다	29 만족하는
03 몰두하는	12 일시적인	21 재능	30 질병
04 치다	13 복수하다	22 정렬하다	31 끊임없이
05 협력하다	14 무딘	23 정도	32 골목
06 사망	15 동맹하다	24 설계하다	33 할당하다
07 미루다	16 의회	25 ~옆에	34 복수하다
08 물다	17 끊임없이	26 불쑥 말하다	35 자신있는
09 정교한	18 상담	27 사임하다	

876	conscious [칸셔스]	의식하는

877	conscientious [칸시엔셔스]	양심적인

878	die [다이]	죽다

879	dye [다이]	염색하다

880	competitive [컴페터티브]	경쟁하는

881	repetitive [리페터티브]	반복적인

882	dread [드레드]	무서워하다

883	tread [트레드]	밟다
884	exhibit [이그지빗]	전시하다
885	prohibit [프러히빗]	금지하다
886	greed [그리드]	탐욕
887	greet [그리트]	인사하다
888	hardness [하드니스]	단단함
889	hardship [하드쉽]	역경

890	**lesson** [레슨]	수업

891	**lessen** [레슨]	줄이다

892	**pierce** [피어스]	관통하다

893	**fierce** [피어스]	사나운

894	**punish** [퍼니쉬]	벌주다

895	**publish** [퍼블리쉬]	출판하다

896	**practical** [프랙티컬]	실용적인

897	**practicable** [프랙티커블]	실행 가능한
898	**role** [롤]	역할
899	**rule** [룰]	규칙
900	**revise** [리바이즈]	수정하다
901	**devise** [디바이즈]	고안하다
902	**stationary** [스테이셔네리]	정지된
903	**stationery** [스테이셔네리]	문방구

904	terrible [테러블]	끔찍한
905	terrific [터리픽]	멋진
906	strive [스트라이브]	노력하다
907	starve [스타브]	굶주리다
908	attribute [애트리뷰트]	~의 탓으로 돌리다
909	contribute [컨트리뷰트]	기여하다
910	distribute [디스트리뷰트]	분배하다

Review Test

☑ 다음 영단어의 뜻을 우리말로 쓰시오.

01 starve		19 exhibit
02 hardness		20 devise
03 greed		21 repetitive
04 practical		22 dread
05 hardship		23 punish
06 pierce		24 rule
07 tread		25 die
08 role		26 publish
09 lesson		27 prohibit
10 stationery		28 lessen
11 attribute		29 strive
12 practicable		30 revise
13 terrible		31 distribute
14 fierce		32 dye
15 conscious		33 contribute
16 stationary		34 conscientious
17 competitive		35 terrific
18 greet		

정답
01 굶주리다	10 문방구	19 전시하다	28 줄이다
02 단단함	11 ~의 탓으로 돌리다	20 고안하다	29 노력하다
03 탐욕	12 실행 가능한	21 반복적인	30 수정하다
04 실용적인	13 끔찍한	22 무서워하다	31 분배하다
05 역경	14 사나운	23 벌주다	32 염색하다
06 관통하다	15 의식하는	24 규칙	33 기여하다
07 밟다	16 정지된	25 죽다	34 양심적인
08 역할	17 경쟁하는	26 출판하다	35 멋진
09 수업	18 인사하다	27 금지하다	

Review Test

✓ 다음 영단어의 뜻을 우리말로 쓰시오.

01 publish		19 strive	
02 fierce		20 lessen	
03 terrible		21 attribute	
04 prohibit		22 greet	
05 conscious		23 lesson	
06 revise		24 hardship	
07 contribute		25 stationery	
08 repetitive		26 stationary	
09 practicable		27 conscientious	
10 tread		28 practical	
11 pierce		29 dread	
12 die		30 distribute	
13 devise		31 role	
14 starve		32 punish	
15 dye		33 competitive	
16 rule		34 terrific	
17 greed		35 hardness	
18 exhibit			

정답

01 출판하다	10 밟다	19 노력하다	28 실용적인
02 사나운	11 관통하다	20 줄이다	29 무서워하다
03 끔찍한	12 죽다	21 ~의 탓으로 돌리다	30 분배하다
04 금지하다	13 고안하다	22 인사하다	31 역할
05 의식하는	14 굶주리다	23 수업	32 벌주다
06 수정하다	15 염색하다	24 역경	33 경쟁하는
07 기여하다	16 규칙	25 문방구	34 멋진
08 반복적인	17 탐욕	26 정지된	35 단단함
09 실행 가능한	18 전시하다	27 양심적인	

Review Test

☑️ 다음 영단어의 뜻을 우리말로 쓰시오.

01 competitive		19 repetitive	
02 tread		20 distribute	
03 dye		21 lesson	
04 terrific		22 die	
05 rule		23 conscious	
06 revise		24 dread	
07 hardship		25 practical	
08 role		26 punish	
09 starve		27 greed	
10 attribute		28 conscientious	
11 practicable		29 stationery	
12 prohibit		30 exhibit	
13 lessen		31 contribute	
14 strive		32 greet	
15 hardness		33 terrible	
16 pierce		34 publish	
17 stationary		35 devise	
18 fierce			

정답
01 경쟁하는	10 ~의 탓으로 돌리다	19 반복적인	28 양심적인
02 밟다	11 실행 가능한	20 분배하다	29 문방구
03 염색하다	12 금지하다	21 수업	30 전시하다
04 멋진	13 줄이다	22 죽다	31 기여하다
05 규칙	14 노력하다	23 의식하는	32 인사하다
06 수정하다	15 단단함	24 무서워하다	33 끔찍한
07 역경	16 관통하다	25 실용적인	34 출판하다
08 역할	17 정지된	26 벌주다	35 고안하다
09 굶주리다	18 사나운	27 탐욕	

911	**alter** [올터]	바꾸다
912	**altar** [올터]	제단
913	**tow** [토우]	견인하다
914	**toe** [토우]	발가락
915	**signal** [씨그널]	신호
916	**signature** [씨그너춰]	서명
917	**route** [루트]	길

918	**routine** [루틴]	일상의 일
919	**prompt** [프람프트]	즉각적인
920	**promote** [프러모트]	촉진하다
921	**owl** [아울]	올빼미
922	**howl** [하울]	울부짖다
923	**previous** [프리비어스]	이전의
924	**precious** [프레셔스]	귀중한

925	observance [업저번스]	준수
926	observation [업저베이션]	관찰
927	decline [디클라인]	감소하다
928	incline [인클라인]	~하고 싶다
929	contempt [컨템프트]	경멸
930	contemplate [컨템플레이트]	숙고하다
931	corporation [코퍼레이션]	회사

932	**cooperation** [코아퍼레이션]	협동
933	**bury** [베리]	매장하다
934	**vary** [베리]	다양하다
935	**credible** [크레더블]	믿을 수 있는
936	**credulous** [크레쥴러스]	속기 쉬운
937	**cease** [씨스]	멈추다
938	**seize** [씨즈]	포착하다

939	artificial [아티피셜]	인공의
940	artistic [아티스틱]	예술의
941	capital [캐피틀]	수도
942	capitol [캐피틀]	국회의사당
943	assent [어쎈트]	동의하다
944	consent [컨쎈트]	동의하다
945	resent [리젠트]	분개하다

Review Test

☑ 다음 영단어의 뜻을 우리말로 쓰시오.

01 prompt		19 cooperation	
02 observation		20 previous	
03 incline		21 tow	
04 precious		22 owl	
05 bury		23 signature	
06 promote		24 credible	
07 vary		25 routine	
08 credulous		26 contemplate	
09 artistic		27 resent	
10 route		28 altar	
11 capitol		29 cease	
12 observance		30 capital	
13 consent		31 contempt	
14 assent		32 decline	
15 seize		33 artificial	
16 corporation		34 howl	
17 signal		35 toe	
18 alter			

정답

01 즉각적인	10 길	19 협동	28 제단
02 관찰	11 국회의사당	20 이전의	29 멈추다
03 ~하고 싶다	12 준수	21 견인하다	30 수도
04 귀중한	13 동의하다	22 올빼미	31 경멸
05 매장하다	14 동의하다	23 서명	32 감소하다
06 촉진하다	15 포착하다	24 믿을 수 있는	33 인공의
07 다양하다	16 회사	25 일상의 일	34 울부짖다
08 속기 쉬운	17 신호	26 숙고하다	35 발가락
09 예술의	18 바꾸다	27 분개하다	

Review Test

☑ 다음 영단어의 뜻을 우리말로 쓰시오.

01 corporation		19 capitol	
02 decline		20 observance	
03 route		21 artificial	
04 precious		22 owl	
05 seize		23 vary	
06 resent		24 artistic	
07 bury		25 previous	
08 toe		26 assent	
09 alter		27 signal	
10 contemplate		28 credible	
11 consent		29 cooperation	
12 contempt		30 signature	
13 credulous		31 altar	
14 promote		32 observation	
15 prompt		33 tow	
16 capital		34 incline	
17 routine		35 howl	
18 cease			

정답

01 회사	10 숙고하다	19 국회의사당	28 믿을 수 있는
02 감소하다	11 동의하다	20 준수	29 협동
03 길	12 경멸	21 인공의	30 서명
04 귀중한	13 속기 쉬운	22 올빼미	31 제단
05 포착하다	14 촉진하다	23 다양하다	32 관찰
06 분개하다	15 즉각적인	24 예술의	33 견인하다
07 매장하다	16 수도	25 이전의	34 ~하고 싶다
08 발가락	17 일상의 일	26 동의하다	35 울부짖다
09 바꾸다	18 멈추다	27 신호	

Review Test

☑ 다음 영단어의 뜻을 우리말로 쓰시오.

01 precious		19 howl	
02 artificial		20 capitol	
03 alter		21 routine	
04 assent		22 consent	
05 promote		23 corporation	
06 credulous		24 cease	
07 observation		25 prompt	
08 route		26 capital	
09 previous		27 decline	
10 artistic		28 owl	
11 altar		29 signature	
12 signal		30 vary	
13 cooperation		31 toe	
14 contempt		32 tow	
15 seize		33 contemplate	
16 resent		34 bury	
17 credible		35 incline	
18 observance			

정답
01 귀중한
02 인공의
03 바꾸다
04 동의하다
05 촉진하다
06 속기 쉬운
07 관찰
08 길
09 이전의

10 예술의
11 제단
12 신호
13 협동
14 경멸
15 포착하다
16 분개하다
17 믿을 수 있는
18 준수

19 울부짖다
20 국회의사당
21 일상의 일
22 동의하다
23 회사
24 멈추다
25 즉각적인
26 수도
27 감소하다

28 올빼미
29 서명
30 다양하다
31 발가락
32 견인하다
33 숙고하다
34 매장하다
35 ~하고 싶다

217

946	alternate [올터네이트]	번갈아하다
947	alternative [올터너티브]	대안
948	thrift [뜨리프트]	절약
949	thirst [떠스트]	갈증
950	soul [쏘울]	영혼
951	sole [쏘울]	유일한
952	regretful [리그렛풀]	후회하는

953	**regrettable** [리그레터블]	유감스러운
954	**phrase** [프레이즈]	구절
955	**phase** [페이즈]	단계
956	**late** [레이트]	늦은
957	**lately** [레이틀리]	최근에
958	**ingenious** [인지니어스]	독창적인
959	**ingenuous** [인제뉴어스]	솔직한

960	fellow [펠로우]	친구
961	follow [팔로우]	따르다
962	deflect [디플렉트]	빗나가다
963	inflect [인플렉트]	구부리다
964	duel [듀얼]	결투
965	dual [듀얼]	둘의
966	context [칸텍스트]	문맥

967	contest [칸테스트]	대회
968	carton [카튼]	상자
969	cartoon [카툰]	만화
970	bride [브라이드]	신부
971	bribe [브라이브]	뇌물
972	compound [컴파운드]	혼합하다
973	confound [컨파운드]	혼동하다

974	corrupt [커럽트]	부패한
975	erupt [이럽트]	폭발하다
976	coarse [코스]	거친
977	course [코스]	경로
978	conference [컨퍼런스]	회의
979	interference [인터피어런스]	방해
980	reference [레퍼런스]	참조

Review Test

☑️ 다음 영단어의 뜻을 우리말로 쓰시오.

01 regrettable		19 cartoon	
02 ingenuous		20 corrupt	
03 inflect		21 soul	
04 phrase		22 late	
05 compound		23 reference	
06 thirst		24 alternate	
07 ingenious		25 course	
08 erupt		26 coarse	
09 bride		27 bribe	
10 fellow		28 carton	
11 sole		29 conference	
12 regretful		30 thrift	
13 lately		31 deflect	
14 contest		32 follow	
15 interference		33 alternative	
16 phase		34 dual	
17 duel		35 confound	
18 context			

정답

01 유감스러운	10 친구	19 만화	28 상자
02 솔직한	11 유일한	20 부패한	29 회의
03 구부리다	12 후회하는	21 영혼	30 절약
04 구절	13 최근에	22 늦은	31 빗나가다
05 혼합하다	14 대회	23 참조	32 따르다
06 갈증	15 방해	24 번갈아하다	33 대안
07 독창적인	16 단계	25 경로	34 둘의
08 폭발하다	17 결투	26 거친	35 혼동하다
09 신부	18 문맥	27 뇌물	

Review Test

☑ 다음 영단어의 뜻을 우리말로 쓰시오.

01 phrase	19 confound
02 follow	20 reference
03 cartoon	21 fellow
04 alternative	22 regrettable
05 thrift	23 erupt
06 dual	24 course
07 bribe	25 inflect
08 alternate	26 compound
09 regretful	27 conference
10 thirst	28 lately
11 late	29 sole
12 bride	30 phase
13 ingenuous	31 soul
14 ingenious	32 deflect
15 carton	33 coarse
16 contest	34 corrupt
17 interference	35 duel
18 context	

정답
01 구절	10 갈증	19 혼동하다	28 최근에
02 따르다	11 늦은	20 참조	29 유일한
03 만화	12 신부	21 친구	30 단계
04 대안	13 솔직한	22 유감스러운	31 영혼
05 절약	14 독창적인	23 폭발하다	32 빗나가다
06 둘의	15 상자	24 경로	33 거친
07 뇌물	16 대회	25 구부리다	34 부패한
08 번갈아하다	17 방해	26 혼합하다	35 결투
09 후회하는	18 문맥	27 회의	

Review Test

☑️ 다음 영단어의 뜻을 우리말로 쓰시오.

01 bribe	19 thrift
02 contest	20 conference
03 late	21 inflect
04 bride	22 compound
05 coarse	23 carton
06 context	24 phase
07 deflect	25 interference
08 erupt	26 corrupt
09 regretful	27 fellow
10 duel	28 thirst
11 alternative	29 confound
12 ingenious	30 alternate
13 sole	31 lately
14 reference	32 ingenuous
15 phrase	33 dual
16 soul	34 follow
17 cartoon	35 course
18 regrettable	

정답

01 뇌물	10 결투	19 절약	28 갈증
02 대회	11 대안	20 회의	29 혼동하다
03 늦은	12 독창적인	21 구부리다	30 번갈아하다
04 신부	13 유일한	22 혼합하다	31 최근에
05 거친	14 참조	23 상자	32 솔직한
06 문맥	15 구절	24 단계	33 둘의
07 빛나가다	16 영혼	25 방해	34 따르다
08 폭발하다	17 만화	26 부패한	35 경로
09 후회하는	18 유감스러운	27 친구	

DAY 29

981	childlike [차일드라이크]	어린애다운
982	childish [차일디쉬]	유치한
983	allusion [얼루전]	암시
984	illusion [일루전]	착각
985	absorb [업쏘브]	흡수하다
986	absurd [업써드]	불합리한
987	anticipate [앤티써페이트]	기대하다

988	participate [파티써페이트]	참여하다
989	term [텀]	기간
990	terminal [터미널]	터미널
991	sore [쏘어]	아픈
992	sour [싸우어]	신
993	recognition [레커그니션]	인식
994	cognition [카그니션]	인식

995	principle [프린써플]	원리
996	principal [프린써플]	주요한
997	leak [리크]	새다
998	lick [릭]	핥다
999	human [휴먼]	인간
1000	humane [휴메인]	자비로운
1001	desirable [디자이어러블]	바람직한

1002	desirous [디자이어러스]	바라는
1003	consult [컨썰트]	상담하다
1004	result [리절트]	결과
1005	collective [컬렉티브]	집단의
1006	selective [셀렉티브]	선택적인
1007	convey [컨베이]	전달하다
1008	survey [써베이]	조사하다

1009	aisle [아일]	통로
1010	isle [아일]	섬
1011	comparable [캄퍼러블]	비교할만한
1012	comparative [컴페러티브]	비교의
1013	clash [클래쉬]	충돌하다
1014	crash [크래쉬]	충돌하다
1015	crush [크러쉬]	눌러 부수다

Review Test

☑️ 다음 영단어의 뜻을 우리말로 쓰시오.

01 leak		19 collective	
02 consult		20 principle	
03 result		21 crush	
04 comparative		22 principal	
05 absurd		23 recognition	
06 humane		24 childlike	
07 term		25 comparable	
08 lick		26 participate	
09 survey		27 desirous	
10 selective		28 childish	
11 anticipate		29 convey	
12 desirable		30 sore	
13 crash		31 clash	
14 aisle		32 illusion	
15 terminal		33 human	
16 cognition		34 isle	
17 sour		35 allusion	
18 absorb			

정답

01 새다	10 선택적인	19 집단의	28 유치한
02 상담하다	11 기대하다	20 원리	29 전달하다
03 결과	12 바람직한	21 눌러 부수다	30 아픈
04 비교의	13 충돌하다	22 주요한	31 충돌하다
05 불합리한	14 통로	23 인식	32 착각
06 자비로운	15 터미널	24 어린애다운	33 인간
07 기간	16 인식	25 비교할만한	34 섬
08 핥다	17 신	26 참여하다	35 암시
09 조사하다	18 흡수하다	27 바라는	

Review Test

☑ 다음 영단어의 뜻을 우리말로 쓰시오.

01 result	19 lick
02 clash	20 crush
03 illusion	21 anticipate
04 absurd	22 sore
05 collective	23 convey
06 leak	24 recognition
07 desirable	25 principal
08 childlike	26 allusion
09 comparative	27 selective
10 consult	28 principle
11 humane	29 human
12 cognition	30 desirous
13 participate	31 terminal
14 aisle	32 comparable
15 crash	33 childish
16 isle	34 sour
17 term	35 absorb
18 survey	

정답

01 결과	10 상담하다	19 핥다	28 원리
02 충돌하다	11 자비로운	20 눌러 부수다	29 인간
03 착각	12 인식	21 기대하다	30 바라는
04 불합리한	13 참여하다	22 아픈	31 터미널
05 집단의	14 통로	23 전달하다	32 비교할만한
06 새다	15 충돌하다	24 인식	33 유치한
07 바람직한	16 섬	25 주요한	34 신
08 어린애다운	17 기간	26 암시	35 흡수하다
09 비교의	18 조사하다	27 선택적인	

Review Test

☑️ 다음 영단어의 뜻을 우리말로 쓰시오.

01 aisle		19 consult	
02 desirous		20 crash	
03 collective		21 comparative	
04 cognition		22 isle	
05 principle		23 illusion	
06 clash		24 childish	
07 anticipate		25 allusion	
08 absurd		26 participate	
09 crush		27 lick	
10 comparable		28 desirable	
11 sour		29 leak	
12 result		30 principal	
13 term		31 absorb	
14 sore		32 selective	
15 recognition		33 childlike	
16 human		34 humane	
17 convey		35 survey	
18 terminal			

정답
01 통로	10 비교할만한	19 상담하다	28 바람직한
02 바라는	11 신	20 충돌하다	29 새다
03 집단의	12 결과	21 비교의	30 주요한
04 인식	13 기간	22 섬	31 흡수하다
05 원리	14 아픈	23 착각	32 선택적인
06 충돌하다	15 인식	24 유치한	33 어린애다운
07 기대하다	16 인간	25 암시	34 자비로운
08 불합리한	17 전달하다	26 참여하다	35 조사하다
09 눌러 부수다	18 터미널	27 핥다	

1016	conduct [컨덕트]	지휘하다
1017	deduct [디덕트]	빼다
1018	competence [캄피턴스]	능력
1019	competition [캄퍼티션]	경쟁
1020	divergent [디버전트]	갈라지는
1021	convergent [컨버전트]	집중적인
1022	export [익스포트]	수출하다

1023	expert [엑스퍼트]	전문가
1024	superior [쑤피어리어]	우월한
1025	inferior [인피어리어]	열등한
1026	social [쏘셜]	사회적인
1027	sociable [쏘셔블]	사교적인
1028	poll [폴]	투표
1029	roll [롤]	구르다

1030	**intimidate** [인티미데이트]	위협하다
1031	**intermediate** [인터미디엇]	중간의
1032	**handy** [핸디]	다루기 쉬운
1033	**handful** [핸드풀]	한 움큼
1034	**genuine** [제뉴인]	진짜의
1035	**genius** [지니어스]	천재
1036	**discrete** [디스크리트]	분리된

1037	discreet [디스크리트]	분별있는
1038	compulsive [컴펄씨브]	강제적인
1039	compulsory [컴펄써리]	강제적인
1040	commute [커뮤트]	통근하다
1041	mute [뮤트]	말이 없는
1042	confess [컨페스]	자백하다
1043	profess [프러페스]	단언하다

1044	career [커리어]	경력
1045	carrier [캐리어]	운수회사
1046	almost [올모스트]	거의
1047	most [모스트]	대부분(의)
1048	explode [익스플로드]	폭발하다
1049	explore [익스플로어]	탐험하다
1050	exploit [익스플로잇]	이용하다

Review Test

☑️ 다음 영단어의 뜻을 우리말로 쓰시오.

01 divergent		19 career	
02 profess		20 convergent	
03 competition		21 exploit	
04 commute		22 export	
05 superior		23 handy	
06 inferior		24 compulsory	
07 explore		25 intermediate	
08 handful		26 conduct	
09 social		27 confess	
10 genuine		28 competence	
11 compulsive		29 intimidate	
12 discrete		30 expert	
13 deduct		31 roll	
14 mute		32 most	
15 sociable		33 almost	
16 poll		34 genius	
17 discreet		35 carrier	
18 explode			

정답

01 갈라지는	10 진짜의	19 경력	28 능력
02 단언하다	11 강제적인	20 집중적인	29 위협하다
03 경쟁	12 분리된	21 이용하다	30 전문가
04 통근하다	13 빼다	22 수출하다	31 구르다
05 우월한	14 말이 없는	23 다루기 쉬운	32 대부분(의)
06 열등한	15 사교적인	24 강제적인	33 거의
07 탐험하다	16 투표	25 중간의	34 천재
08 한 움큼	17 분별있는	26 지휘하다	35 운수회사
09 사회적인	18 폭발하다	27 자백하다	

239

Review Test ────────────

☑ 다음 영단어의 뜻을 우리말로 쓰시오.

01 compulsive		19 almost	
02 career		20 sociable	
03 explore		21 most	
04 divergent		22 deduct	
05 commute		23 exploit	
06 discreet		24 competition	
07 carrier		25 superior	
08 convergent		26 handful	
09 mute		27 competence	
10 inferior		28 social	
11 expert		29 explode	
12 compulsory		30 discrete	
13 poll		31 confess	
14 handy		32 intermediate	
15 intimidate		33 conduct	
16 genius		34 roll	
17 profess		35 export	
18 genuine			

정답
01 강제적인	10 열등한	19 거의	28 사회적인
02 경력	11 전문가	20 사교적인	29 폭발하다
03 탐험하다	12 강제적인	21 대부분(의)	30 분리된
04 갈라지는	13 투표	22 빼다	31 자백하다
05 통근하다	14 다루기 쉬운	23 이용하다	32 중간의
06 분별있는	15 위협하다	24 경쟁	33 지휘하다
07 운수회사	16 천재	25 우월한	34 구르다
08 집중적인	17 단언하다	26 한 움큼	35 수출하다
09 말이 없는	18 진짜의	27 능력	

Review Test

☑️ 다음 영단어의 뜻을 우리말로 쓰시오.

01 competence		19 superior	
02 convergent		20 export	
03 intimidate		21 conduct	
04 expert		22 inferior	
05 divergent		23 confess	
06 compulsory		24 discreet	
07 career		25 deduct	
08 commute		26 genuine	
09 exploit		27 poll	
10 sociable		28 roll	
11 intermediate		29 mute	
12 almost		30 explore	
13 competition		31 handy	
14 compulsive		32 social	
15 handful		33 most	
16 explode		34 profess	
17 carrier		35 discrete	
18 genius			

정답
01 능력	10 사교적인	19 우월한	28 구르다
02 집중적인	11 중간의	20 수출하다	29 말이 없는
03 위협하다	12 거의	21 지휘하다	30 탐험하다
04 전문가	13 경쟁	22 열등한	31 다루기 쉬운
05 갈라지는	14 강제적인	23 자백하다	32 사회적인
06 강제적인	15 한 움큼	24 분별있는	33 대부분(의)
07 경력	16 폭발하다	25 빼다	34 단언하다
08 통근하다	17 운수회사	26 진짜의	35 분리된
09 이용하다	18 천재	27 투표	

1051	**appreciate** [어프리쉬에이트]	감사하다
1052	**depreciate** [디프리쉬에이트]	가치가 떨어지다
1053	**accompany** [어컴퍼니]	동행하다
1054	**company** [컴퍼니]	회사
1055	**compete** [컴피트]	경쟁하다
1056	**complete** [컴플리트]	완성하다
1057	**convention** [컨벤션]	관습

1058	invention [인벤션]	발명
1059	simulate [씨뮬레이트]	모의 실험하다
1060	stimulate [스티뮬레이트]	자극하다
1061	refrain [리프레인]	삼가다
1062	reframe [리프레임]	다시 구성하다
1063	personal [퍼스널]	개인적인
1064	personnel [퍼스넬]	직원

1065	**peel** [필]	껍질을 벗기다

1066	**pill** [필]	알약

1067	**inventive** [인벤티브]	발명의

1068	**incentive** [인센티브]	자극

1069	**flourish** [플로리쉬]	번성하다

1070	**furnish** [퍼니쉬]	공급하다

1071	**extensive** [익스텐시브]	광대한

1072 intensive [인텐시브]	집중적인	
1073 creature [크리춰]	생물	
1074 creation [크리에이션]	창조	
1075 considerable [컨씨더러블]	상당한	
1076 considerate [컨씨더럿]	사려깊은	
1077 apparent [어페어런트]	분명한	
1078 transparent [트랜스페어런트]	투명한	

1079	**assemble** [어쎔블]	모으다
1080	**resemble** [리젬블]	닮다
1081	**apart** [어파트]	떨어져서
1082	**depart** [디파트]	출발하다
1083	**flesh** [플레쉬]	살
1084	**fresh** [프레쉬]	신선한
1085	**flash** [플래쉬]	섬광

Review Test

☑ 다음 영단어의 뜻을 우리말로 쓰시오.

01 depart	19 simulate
02 personal	20 considerate
03 refrain	21 complete
04 extensive	22 convention
05 personnel	23 flourish
06 inventive	24 creation
07 invention	25 accompany
08 creature	26 furnish
09 peel	27 stimulate
10 transparent	28 pill
11 flesh	29 apart
12 intensive	30 considerable
13 assemble	31 flash
14 incentive	32 company
15 appreciate	33 fresh
16 apparent	34 depreciate
17 compete	35 resemble
18 reframe	

정답

01 출발하다	10 투명한	19 모의 실험하다	28 알약
02 개인적인	11 살	20 사려깊은	29 떨어져서
03 삼가다	12 집중적인	21 완성하다	30 상당한
04 광대한	13 모으다	22 관습	31 섬광
05 직원	14 자극	23 번성하다	32 회사
06 발명의	15 감사하다	24 창조	33 신선한
07 발명	16 분명한	25 동행하다	34 가치가 떨어지다
08 생물	17 경쟁하다	26 공급하다	35 닮다
09 껍질을 벗기다	18 다시 구성하다	27 자극하다	

Review Test ——————————————

☑ 다음 영단어의 뜻을 우리말로 쓰시오.

01 furnish		19 apart	
02 incentive		20 pill	
03 assemble		21 flesh	
04 stimulate		22 reframe	
05 appreciate		23 peel	
06 considerable		24 personnel	
07 fresh		25 transparent	
08 complete		26 apparent	
09 intensive		27 depreciate	
10 invention		28 extensive	
11 inventive		29 convention	
12 accompany		30 flash	
13 considerate		31 creature	
14 depart		32 flourish	
15 company		33 compete	
16 creation		34 resemble	
17 refrain		35 personal	
18 simulate			

정답

01 공급하다	10 발명	19 떨어져서	28 광대한
02 자극	11 발명의	20 알약	29 관습
03 모으다	12 동행하다	21 살	30 섬광
04 자극하다	13 사려깊은	22 다시 구성하다	31 생물
05 감사하다	14 출발하다	23 껍질을 벗기다	32 번성하다
06 상당한	15 회사	24 직원	33 경쟁하다
07 신선한	16 창조	25 투명한	34 닮다
08 완성하다	17 삼가다	26 분명한	35 개인적인
09 집중적인	18 모의 실험하다	27 가치가 떨어지다	

Review Test

☑ 다음 영단어의 뜻을 우리말로 쓰시오.

01 compete

02 invention

03 company

04 resemble

05 creation

06 considerable

07 personnel

08 creature

09 depart

10 flesh

11 intensive

12 stimulate

13 pill

14 apart

15 personal

16 inventive

17 apparent

18 incentive

19 complete

20 flash

21 peel

22 accompany

23 appreciate

24 convention

25 extensive

26 flourish

27 refrain

28 depreciate

29 transparent

30 simulate

31 fresh

32 reframe

33 assemble

34 furnish

35 considerate

정답

01 경쟁하다
02 발명
03 회사
04 닮다
05 창조
06 상당한
07 직원
08 생물
09 출발하다

10 살
11 집중적인
12 자극하다
13 알약
14 떨어져서
15 개인적인
16 발명의
17 분명한
18 자극

19 완성하다
20 섬광
21 껍질을 벗기다
22 동행하다
23 감사하다
24 관습
25 광대한
26 번성하다
27 삼가다

28 가치가 떨어지다
29 투명한
30 모의 실험하다
31 신선한
32 다시 구성하다
33 모으다
34 공급하다
35 사려깊은

249

1086	available [어베일러블]	이용가능한
1087	prevail [프리베일]	널리 퍼지다
1088	addiction [어딕션]	중독
1089	addition [어디션]	추가
1090	self [쎌프]	자아
1091	shelf [쉘프]	선반
1092	reign [레인]	통치

1093	rein [레인]	고삐
1094	persevere [퍼씨비어]	참다
1095	severe [씨비어]	심한
1096	protest [프러테스트]	항의하다
1097	protect [프러텍트]	보호하다
1098	intact [인택트]	온전한
1099	tact [택트]	요령

1100	**feather** [페더]	깃털
1101	**feature** [피춰]	특징
1102	**execute** [엑씨큐트]	처형하다
1103	**excavate** [엑스커베이트]	발굴하다
1104	**dissent** [디쎈트]	반대하다
1105	**dissect** [디쎅트]	해부하다
1106	**contradict** [칸트러딕트]	반박하다

1107	predict [프리딕트]	예측하다
1108	captivity [캡티버티]	감금
1109	capacity [커패써티]	능력
1110	constant [칸스턴트]	지속적인
1111	instant [인스턴트]	즉각적인
1112	accumulate [어큐뮬레이트]	축적하다
1113	accommodate [어카머데이트]	수용하다

1114	pair [페어]	쌍
1115	pear [페어]	배
1116	intrude [인트루드]	침입하다
1117	extrude [익스트루드]	쫓아내다
1118	conflict [칸플릭트]	갈등
1119	inflict [인플릭트]	가하다
1120	reflect [리플렉트]	반사하다

Review Test

☑️ 다음 영단어의 뜻을 우리말로 쓰시오.

01 pair	_____	19 captivity	_____
02 predict	_____	20 inflict	_____
03 constant	_____	21 extrude	_____
04 tact	_____	22 pear	_____
05 feather	_____	23 addition	_____
06 conflict	_____	24 prevail	_____
07 reign	_____	25 addiction	_____
08 shelf	_____	26 rein	_____
09 reflect	_____	27 excavate	_____
10 intrude	_____	28 contradict	_____
11 protect	_____	29 execute	_____
12 capacity	_____	30 feature	_____
13 persevere	_____	31 self	_____
14 protest	_____	32 instant	_____
15 intact	_____	33 available	_____
16 dissent	_____	34 dissect	_____
17 accumulate	_____	35 accommodate	_____
18 severe	_____		

정답

01 쌍	10 침입하다	19 감금	28 반박하다
02 예측하다	11 보호하다	20 가하다	29 처형하다
03 지속적인	12 능력	21 쫓아내다	30 특징
04 요령	13 참다	22 배	31 자아
05 깃털	14 항의하다	23 추가	32 즉각적인
06 갈등	15 온전한	24 널리 퍼지다	33 이용가능한
07 통치	16 반대하다	25 중독	34 해부하다
08 선반	17 축적하다	26 고삐	35 수용하다
09 반사하다	18 심한	27 발굴하다	

Review Test

☑️ 다음 영단어의 뜻을 우리말로 쓰시오.

01 self		19 pair	
02 accommodate		20 shelf	
03 addition		21 reflect	
04 constant		22 reign	
05 persevere		23 execute	
06 severe		24 capacity	
07 inflict		25 feature	
08 excavate		26 available	
09 protest		27 accumulate	
10 dissent		28 addiction	
11 captivity		29 feather	
12 contradict		30 rein	
13 prevail		31 tact	
14 instant		32 extrude	
15 protect		33 intrude	
16 intact		34 dissect	
17 predict		35 pear	
18 conflict			

정답

01 자아	10 반대하다	19 쌍	28 중독
02 수용하다	11 감금	20 선반	29 깃털
03 추가	12 반박하다	21 반사하다	30 고삐
04 지속적인	13 널리 퍼지다	22 통치	31 요령
05 참다	14 즉각적인	23 처형하다	32 쫓아내다
06 심한	15 보호하다	24 능력	33 침입하다
07 가하다	16 온전한	25 특징	34 해부하다
08 발굴하다	17 예측하다	26 이용가능한	35 배
09 항의하다	18 갈등	27 축적하다	

Review Test

☑ 다음 영단어의 뜻을 우리말로 쓰시오.

01 captivity		19 intrude	
02 pair		20 protect	
03 inflict		21 extrude	
04 self		22 prevail	
05 constant		23 reflect	
06 predict		24 addition	
07 pear		25 persevere	
08 shelf		26 excavate	
09 instant		27 addiction	
10 severe		28 protest	
11 rein		29 conflict	
12 capacity		30 contradict	
13 intact		31 accumulate	
14 execute		32 feature	
15 feather		33 available	
16 dissect		34 tact	
17 accommodate		35 reign	
18 dissent			

정답
01 감금	10 심한	19 침입하다	28 항의하다
02 쌍	11 고삐	20 보호하다	29 갈등
03 가하다	12 능력	21 쫓아내다	30 반박하다
04 자아	13 온전한	22 널리 퍼지다	31 축적하다
05 지속적인	14 처형하다	23 반사하다	32 특징
06 예측하다	15 깃털	24 추가	33 이용가능한
07 배	16 해부하다	25 참다	34 요령
08 선반	17 수용하다	26 발굴하다	35 통치
09 즉각적인	18 반대하다	27 중독	

Premium Voca 혼동 어휘 편

발　행 | 2024년 07월 09일
저　자 | 영어중심
펴낸이 | 한건희
펴낸곳 | 주식회사 부크크
출판사등록 | 2014.07.15.(제2014-16호)
주　소 | 서울특별시 금천구 가산디지털1로 119 SK트윈타워 A동
　　　　305호
전　화 | 1670-8316
이메일 | info@bookk.co.kr

ISBN | 979-11-410-9313-6

www.bookk.co.kr
ⓒ 영어중심 2024
본 책은 저작자의 지적 재산으로서 무단 전재와 복제를 금합니다.